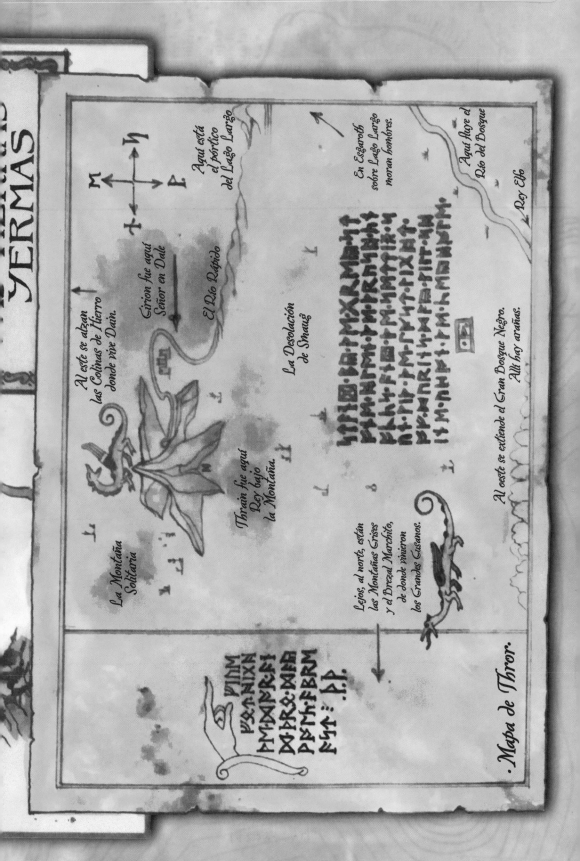

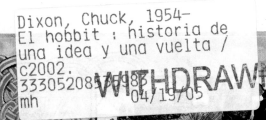

EL hOBBIT

Historia de una ida y una vuelta

de
J.R.R. TOLKIEN

guión
CHARLES DIXON

ilustraciones
DAVID WENZEL

NORMA
Editorial

EL HOBBIT.
Tercera edición: junio 2002.
Originally published in English by HarperCollinsPublishers Ltd under the title:
HOBBIT GRAPHIC NOVEL
© The Estate of J.R.R. Tolkien 1989, 1990
Illustrations © 1989, 1990 David Wenzel
Story adaptation © 1989, 1990 Charles Dixon and Sean Deming
© 2002 NORMA Editorial por la edición en castellano.
Fluvià, 89. 08019 Barcelona.
Tel.: 93 303 68 20 - Fax: 93 303 68 31.
E-mail: norma@norma-ed.es
Traducción: Lorenzo Díaz. Rotulación: Francesc Reig.
Depósito legal: B-17825-2002. ISBN: 84-8431-432-4.
Printed in Spain by Índice S.L.

www.norma-ed.es

En un agujero del suelo vivía un hobbit. No era un agujero húmedo, sucio, repugnante, ni uno seco, desnudo, arenoso; era un agujero de hobbit, y eso significa comodidad.

Ese agujero de hobbit estaba en La Colina, como la llamaba la gente de muchas millas alrededor, y se llamaba Bolsón.

La gente consideraba muy respetables a los Bolsón, no solo porque casi todos fueran ricos, sino también porque nunca tenían aventuras ni hacían nada inesperado.

Esta es la historia de cómo un Bolsón tuvo una aventura y se encontró haciendo y diciendo cosas del todo inesperadas.

¿Qué es un hobbit?

Supongo que en estos días los hobbits necesitan ser descritos, ya que se han vuelto escasos y tímidos con la Gente Grande, que es como nos llaman.

Son gente menuda, más pequeños que los enanos. Tienden a ser gruesos de vientre, visten con colores brillantes y no usan zapatos, porque tienen en los pies suelas naturales de piel y un pelo espeso y tibio de color castaño.

La madre de este hobbit –o sea, de Bilbo Bolsón– era la famosa Belladonna Tuk. De cuando en cuando los miembros del clan Tuk se iban a correr aventuras. Desaparecían con discreción y la familia echaba tierra al asunto; los Tuk no eran tan respetables como los Bolsón.

Es probable que Bilbo, hijo único aunque se parecía y comportaba como su padre, tuviese alguna rareza en el carácter heredada de los Tuk, algo que sólo esperaba una ocasión para salir a la luz.

Oh.

3

4

5

6

7

NOS HEMOS REUNIDO PARA DISCUTIR NUESTROS PLANES, MEDIOS, POLÍTICA Y RECURSOS. EMPRENDEREMOS NUESTRO VIAJE ANTES DE QUE ROMPA EL DÍA...

...UN VIAJE DEL QUE QUIZÁ NO VUELVA ALGUNO DE NOSOTROS.

¡¿QUIZÁ NO VUELVA ALGUNO...?!

ME TEMO QUE HEMOS PERDIDO AL ANFITRIÓN.

¡HUM! ¿CREÉIS QUE SERVIRÁ? EN CUANTO ECHÉ UNA OJEADA AL PEQUEÑAJO TUVE MIS DUDAS.

¡MÁS PARECE UN TENDERO QUE UN LADRÓN!

PER-DONADME, ¿HABÉIS DICHO "LADRÓN"?

SÍ. ESTABA HABLANDO DE VOS. GANDALF NOS DIJO QUE HABÍA UN LADRÓN EN LA ZONA BUSCANDO TRABAJO, Y QUE HABÍA CONCERTADO UNA CITA PARA ESTE MIÉRCOLES A LA HORA DEL TÉ.

HAY UNA MARCA EN VUESTRA PUERTA, LA NORMAL EN EL NEGOCIO. LADRÓN BUSCA BUEN TRABAJO CON MUCHA EXCITACIÓN Y PAGA RAZONABLE.

¿LADRÓN?

PO-DÉIS LLAMARLO BUSCADOR EXPERTO DE TESOROS SI QUERÉIS. PARA NOSOTROS ES LO MISMO.

NO DISCUTAMOS MÁS. SI DIGO QUE ES UN LADRÓN, ES UN LADRÓN, O LO SERÁ CUANDO LLEGUE EL MOMENTO. EN ÉL HAY MUCHO MÁS DE LO QUE IMAGINÁIS, O SE IMAGINA ÉL.

AHORA, BILBO, MU-CHACHO, VE A POR LA LÁM-PARA Y ECHE-MOS ALGO DE LUZ SO-BRE...

...ESTO!

ESTE MAPA LO HIZO THROR, TU ABUELO, THORIN. ES UN MAPA DE LA MONTAÑA DONDE EL DRAGÓN SMAUG GUARDA LAS RIQUEZAS DE VUESTROS ANTEPASADOS Y LAS UTILIZA DE CAMA.

HAY UN DRAGÓN PINTADO DE ROJO EN LA MONTAÑA, PERO SERÁ BASTANTE FÁCIL ENCONTRARLO SIN ESO, SI ES QUE LLEGAMOS ALLÍ.

ESTA MANO APUNTA A UNA RUNA QUE MARCA UNA ENTRADA SECRETA, UN PASAJE OCULTO A LOS SALONES INTERIORES.

QUIZÁ HAYA SIDO SECRETO EN OTRA ÉPOCA, PERO ¿CÓMO SABEMOS QUE SIGUE SIÉNDOLO?

EL VIEJO SMAUG HA VIVIDO ALLÍ LO BASTANTE COMO PARA CONOCER BIEN ESAS CUEVAS.

QUIZÁ... PERO NO DEBE HABERLO USADO EN AÑOS. ES DEMASIADO PEQUEÑO.

"CINCO PIES DE ALTURA Y TRES PASAN CON HOLGURA" DICEN LAS RUNAS, PERO SMAUG NO PUEDE ARRASTRARSE POR UN AGUJERO ASÍ, Y MENOS TRAS HABER DEVORADO TANTOS ENANOS Y HOMBRES DEL VALLE.

A MÍ ME PARECE UN AGUJERO BASTANTE GRANDE. ¿CÓMO PUEDE MANTENERSE EN SECRETO UNA ENTRADA TAN GRANDE?

SUPONGO QUE ES UNA PUERTA CERRADA QUE NO SE DISTINGUE DEL RESTO DE LA LADERA.

ADEMÁS, CON EL MAPA VENÍA UNA LLAVE, UNA LLAVE PEQUEÑA Y RARA. ÉSTA ES, THORIN... ¡GUÁRDALA BIEN!

¡ASÍ LO HARÉ! ¿QUÉ TAL SI EL LADRÓN EXPERTO NOS DA ALGUNA IDEA O SUGERENCIA?

PRIMERO, ME GUSTARÍA SABER ALGO MÁS SOBRE EL ORO, EL DRAGÓN Y TODO ESO, Y CÓMO LLEGAR ALLÍ, Y A QUIÉN PERTENECE, Y TODO LO DEMÁS.

Cuando despertó a la mañana siguiente, Bilbo se sintió aliviado al ver que los enanos habían partido sin él. Pero no pudo dejar de sentirse algo decepcionado. Este sentimiento le sorprendió.

¡NO SEAS TONTO, BILBO BOLSÓN! ¡PENSAR EN DRAGONES Y EXTRAÑAS LOCURAS A TU EDAD!

MI QUERIDO AMIGO, ¡SON LAS DIEZ Y MEDIA! ¿CUÁNDO VAS A PARTIR? TE DEJARON UN MENSAJE PORQUE NO PODÍAN ESPERAR.

¿QUÉ MENSAJE?

THORIN Y COMPAÑÍA AL LADRÓN BILBO: ¡SALUD!

NUESTRO AGRADECIMIENTO POR SU OFERTA DE ASISTENCIA PROFESIONAL. CONDICIONES: DINERO A LA ENTREGA Y SIN QUE EXCEDA LA CATORCEAVA PARTE DEL BENEFICIO TOTAL (DE HABERLO); TODOS LOS GASTOS DE VIAJE GARANTIZADOS EN CUALQUIER CIRCUNSTANCIA. LOS GASTOS FUNERARIOS SERÁN PAGADOS POR NOSOTROS O NUESTROS REPRESENTANTES, SI SE DIESE LA OCASIÓN.

NOS HEMOS ADELANTADO PARA LLEVAR A CABO LOS PREPARATIVOS, Y ESPERAMOS A SU RESPETABLE PERSONA EN LA POSADA DEL DRAGÓN VERDE, DELAGUA, A LAS 11 EN PUNTO. TENEMOS EL HONOR DE SER SINCERAMENTE VUESTROS.

THORIN Y COMPAÑÍA

¡POR LOS GRANDES ELEFANTES! ESTÁS DESCONOCIDO ESTA MAÑANA. SI HUBIERAS LIMPIADO LA CHIMENEA HABRÍAS ENCONTRADO ESTO DEBAJO DEL RELOJ.

ESO TE DA DIEZ MINUTOS. TENDRÁS QUE CORRER.

PE-RO...

NO HAY TIEMPO PARA ESO.

PE-RO...

TAMPOCO PARA ESO OTRO.

¡VA-MOS, ADELAN-TE!

Y así fue como se pusieron en marcha, alejándose de la posada una mañana antes del mes de Mayo.

El grupo partió alegremente y se contaron historias y cantaron canciones mientras cabalgaban.

Bilbo empezó a pensar que las aventuras no eran en verdad tan malas.

Al principio cruzaron por tierras de hobbits, país agreste y tranquilo habitado por gente decente.

Luego llegaron a tierras donde la gente hablaba de modo extraño y cantaba canciones que Bilbo no había oído nunca.

Se internaron en las Tierras Solitarias, donde no quedaban gente, ni tabernas y los caminos eran cada vez peores...

Luego subieron por melancólicas colinas cada vez más altas.

Todo parecía lúgubre, pues el tiempo que había sido todo lo bueno que suele serlo en Mayo, había cambiado a mal.

PENSAR QUE PRONTO SERÁ JUNIO. ESTOY SEGURO DE QUE LA LLUVIA HA EMPAPADO HASTA LAS ROPAS SECAS Y LAS PROVISIONES.

¿QUÉ TIERRAS SON ÉSTAS, THORIN?

ESTOS LUGARES NO SON MUY CONOCIDOS Y LAS MONTAÑAS QUEDAN MUY CERCA.

LOS MAPAS ANTIGUOS YA NO SIRVEN; LAS COSAS HAN EMPEORADO MUCHO. PERO EL SITIO ESTÁ SECO. ACAMPAREMOS AQUÍ.

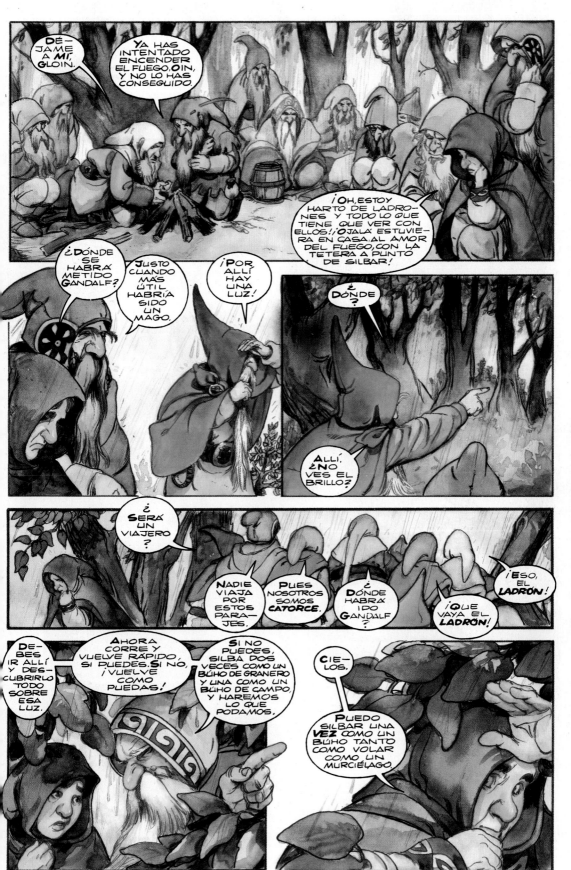

CARNERO AYER, CARNERO HOY Y CONDENACIÓN SI NO PARECE QUE MAÑANA TAMBIÉN HABRÁ CARNERO.

TROLLS.

NI UNA MALA PIZCA DE CARNE HUMANA HEMOS PROBADO DESDE HACE MUCHO. EN QUÉ ESTARÍA PENSANDO GUILLE CUANDO NOS TRAJO POR ESTOS LARES.

¡CIERRA LA **BOCA**, TOM!

NO PUEDES ESPERAR QUE LA GENTE PASE SIEMPRE POR AQUÍ PARA SER COMIDA.

Tras haber oído todo esto, Bilbo debería haber dado media vuelta y advertir a sus amigos que había tres trolls malhumorados y de buen tamaño, o al menos hacer una buena exhibición de sus habilidades de ladrón.

DESDE QUE BAJAMOS DE LAS MONTAÑAS OS HABÉIS COMIDO ALDEA Y MEDIA ENTRE LOS DOS. ¿QUÉ MÁS QUEREIS?

¡AY!

Un ladrón de primera ya habría robado los bolsillos de los trolls... lo cual casi siempre vale la pena si consigues hacerlo. Otros quizá habrían clavado una daga en cada uno de ellos antes de que se dieran cuenta. Y el resto de la noche habría discurrido con alegría.

EL TIEMPO HA PASADO Y TENDRÍAIS QUE DECIRME 'GRACIAS, BILL' POR ESTE PEDAZO DE CARNERO GORDO DEL VALLE.

Bilbo lo sabía. Había leído sobre muchas cosas que él nunca había visto ni hecho. Deseó hallarse a cien millas de distancia, pero... pero sintió que no podía volver con Thorin y compañía con las manos vacías.

¡EH! ¿QUIÉN ERES TÚ?

¡OH!

MALDICIÓN, BERTO. MIRA LO QUE HE COGIDO.

¿QUÉ ES ESO?

¡QUE ME CONDENEN SI LO SÉ!

17

18

¡BILBO! ¿QUÉ...?

¡BA- LIN!

¡UN ENANO!

¡UN ENANO CRUDO!

¡UN SACO, TOM, RÁPIDO!

O MUCHO ME EQUIVOCO O HAY MUCHOS MÁS. MUCHOS Y NINGUNO, ESO ES. ¡NINGÚN LA HOBBIT, PERO, MUCHOS ENANOS!

CREO QUE TIENES RAZÓN Y SERÁ MEJOR QUE SALGAMOS DE LA LUZ.

¿OIN? ¿GLOIN?

Y así hicieron. Cada vez que un enano se acercaba y veía el fuego, las jarras esparcidas y el carnero mordido, ¡pop! un saco maloliente caía sobre su cabeza y era capturado.

ESTO LES ENSE- ÑARÁ.

¿QUÉ ES TODO ESTO? ¿QUIÉN ESTÁ APORREANDO A MI GENTE?

¡SON TROLLS! SE ESCONDEN CON SACOS EN LOS ARBUSTOS.

AH, ES ESO.

AQUÍ HAY UNAS HUELLAS DE **TROLL** QUE CONDUCEN HACIA LOS ÁRBOLES.

QUIZÁ NOS LLEVEN A SU CUEVA.

Siguieron las huellas colina arriba hasta llegar a una gran puerta de piedra que daba a una cueva. Pero no pudieron abrirla, pese a que empujaron todos mientras **G**andalf probaba varios encantamientos.

¿SERVIRÁ ESTO DE ALGO? **L**O ENCONTRÉ DONDE LOS TROLLS ESTABAN PELEÁNDOSE.

¿POR QUÉ NO LO DIJISTE ANTES?

AHORA VEREMOS QUÉ TESOROS GUARDA UN TROLL.

ESTE LUGAR **APESTA** A TROLLS.

NO ME EXTRAÑA.

SACAD FUERA EL ORO. LO **ENTERRAREMOS** PARA EL VIAJE DE VUELTA.

COGED TODA LA COMIDA QUE NO ESTÉ PODRIDA.

PARECEN DE BUEN ACERO.

NO FUERON FORJADAS POR NINGÚN TROLL O HERRE-RO HUMANO DE ESTOS DÍAS Y LUGARES.

PERO YA SABRE-MOS MÁS CUANDO PODAMOS LEER LAS RUNAS QUE HAY EN ELLAS.

¿ADÓNDE FUISTE, GANDALF, SI PUEDO PRE-GUNTARLO?

ESTABA EXPLORANDO EL CAMINO CUANDO, ME ENCONTRÉ CON UN PAR DE AMI-GOS DE RI-VENDELL.

FUERON ELLOS QUIENES ME DIJERON QUE HABÍAN BAJADO TRES TROLLS DE LAS MONTAÑAS... PARA INSTALARSE EN EL BOSQUE NO LEJOS DEL CAMINO.

ENSEGUIDA TUVE EL PRE-SENTIMIENTO DE QUE YO HACÍA FALTA. POR FAVOR, TENED MÁS CUIDADO LA PRÓXIMA VEZ O NO LLEGAREMOS A NINGUNA PARTE.

¡GRA-CIAS!

Aquel día no cantaron ni contaron historias, ni al día siguiente, ni al otro. Habían empezado a sentir que el peligro les rodeaba y que no estaba muy lejos.

¿ÉSA ES LA MONTA-ÑA?

¡POR SUPUESTO QUE NO! ESO SÓLO ES EL INICIO DE LAS MONTAÑAS NUBLADAS... Y AÚN QUEDARÁ UN BUEN TRECHO DESDE EL OTRO LADO HASTA LA MONTAÑA SOLITARIA DE ORIENTE DONDE SMAUG YACE SO-BRE NUESTROS TESOROS.

OCULTO EN ALGÚN LUGAR DELANTE DE NOSO-TROS ESTÁ EL VALLE DE RIVENDELL, DONDE ELROND HABITA EN LA ÚLTIMA MORADA.

¡NO NOS SALGAMOS DEL CAMINO, O ESTARE-MOS PER-DIDOS!

ENVIÉ UN MENSAJE CON MIS AMIGOS Y NOS ESPE-RAN.

23

Bilbo nunca olvidó la forma en que rodaron y resbalaron en el crepúsculo bajando por el serpenteante y empinado camino hasta el valle de Rivendell. El aire se caldeaba a medida que descendían...

...y sus aromas subían a ellos cuanto más bajaban.

¡YA HEMOS LLEGADO!

¡HMMM! ¡PARECE QUE HUELE A ELFOS!

Eran elfos, por supuesto. Bilbo empezó a distinguirlos a medida que aumentaba la oscuridad. Le gustaban los elfos, pese a que rara vez los veía, pero también le asustaban un poco.

Los enanos no se llevan bien con ellos.

Hasta enanos decentes como Thorin y sus amigos les consideran tontos (lo que resulta una idea bastante tonta), o se molestan con ellos ya que algunos los tomaban el pelo y se burlaban de ellos, sobre todo de sus barbas.

¡BIENVENIDOS AL VALLE!

OS HABÉIS DESVIADO DEL CAMINO.

NOSOTROS OS GUIAREMOS, PERO SERÁ MEJOR QUE VAYÁIS A PIÉ HASTA PASAR EL PUENTE.

GRACIAS.

¡NO MOJES LA BARBA EN LA ESPUMA, PADRE! ¡YA ES BASTANTE LARGA SIN ESTAR MOJADA!

¡SILENCIO, SILENCIO, BUENA GENTE! ¡Y BUENAS NOCHES! LOS VALLES TIENEN OÍDOS Y ALGUNOS ELFOS LENGUAS DEMASIADO SUELTAS. ¡BUENAS NOCHES!

Y así llegaron a la última Morada y encontraron las puertas abiertas de par en par.

Ahora bien, puede parecer extraño, pero las cosas que es bueno tener y los días que merecen vivirse se narran muy rápido y no reciben mucha atención; en cambio, las cosas incómodas, estremecedoras, e incluso horribles, pueden dar para un buen relato y lleva su tiempo contarlas.

Elrond, dueño de la casa era un amigo de los elfos. En los días de nuestro relato aún quedaba gente que contaban entre sus ancestros, tanto a elfos como a héroes del Norte, y Elrond era su jefe.

Aparece en muchos relatos pero su papel en la aventura de Bilbo es pequeño aunque, importante, como veréis si llegamos a su término.

Se quedaron mucho en aquella buena casa, catorce días al menos, y les costó marcharse.

Bilbo se habría quedado allí para siempre incluso de haber podido volver sin problemas a su agujero de hobbit con sólo desearlo.

Así llegó el solsticio de verano y se dispusieron a partir con los primeros rayos del sol estival.

Elrond lo sabía todo sobre runas de cualquier clase y aquel día examinó las espadas cogidas en la madriguera de los trolls.

NO SON OBRA DE TROLLS. SON ESPADAS ANTIGUAS, MUY ANTIGUAS, DE LOS ALTOS ELFOS DEL OESTE, MI ESTIRPE.

SE FORJARON EN GONDOLIN PARA LA GUERRA CON LOS TRASGOS.

DEBEN PROVENIR DEL TESORO DE UN DRAGÓN O DEL BOTÍN DE UN TRASGO, YA QUE DRAGONES Y TRASGOS DESTRUYERON ESA CIUDAD HACE MUCHAS ERAS.

26

LAS LETRAS LUNARES SON LETRAS RÚNICAS QUE SÓLO PUEDEN VERSE CUANDO LA LUNA BRILLA DETRÁS DE ELLAS, Y LO QUE ES MÁS, ALGUNAS SÓLO CUANDO LA ESTACIÓN Y LA FASE DE LA LUNA SON LAS MISMAS EN QUE SE ESCRIBIERON.

ÉSTAS DEBIERON ESCRIBIRSE UNA NOCHE DE SOLSTI-CIO CON LUNA CRECIENTE, HACE MUCHO TIEMPO.

"ESTAD JUNTO A LA PIEDRA GRIS CUANDO GRITE EL ZORZAL Y LOS ÚLTIMOS RAYOS DE SOL PONIENTE DEL DÍA DE DURIN ILUMINARÁN EL OJO DE LA CERRADURA."

¡DURIN! PADRE DE LOS PADRES DE LA MÁS ANTIGUA RAZA DE ENANOS, LOS BARBILUENGOS, Y MI PRIMER ANTEPASA-DO. YO SOY SU HEREDERO.

¿CUÁN-DO ES EL DÍA DE DURIN?

LLAMAMOS DÍA DE DURIN A AQUEL EN QUE EL SOL Y LA ÚLTIMA LUNA DE OTOÑO ESTÁN JUNTOS EN EL CIELO. PERO ME TEMO QUE EN ESTOS TIEMPOS NADIE SABE CUÁNDO ES ESE DÍA.

ESO QUEDA POR VER.

a mañana siguiente fue una mañana de solsticio todo lo ermosa y fresca que podría ima-inarse, con un cielo azul sin ubes y el sol bailando en el río.

Partieron entonces entre cantos de despedida y buen viaje, con corazones dispuestos a más aventuras y sabiendo el camino que debían tomar para atravesar las Montañas Nubladas.

27

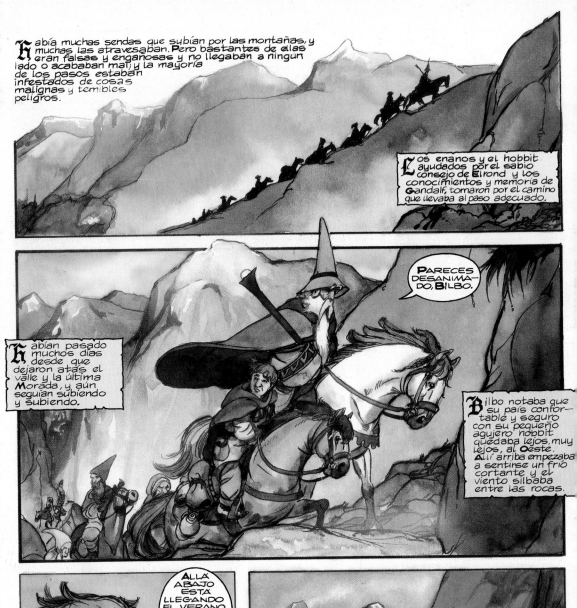

Había muchas sendas que subían por las montañas, y muchas las atravesaban. Pero bastantes de ellas eran falsas y engañosas y no llegaban a ningún lado o acababan mal, y la mayoría de los pasos estaban infestados de cosas malignas y temibles peligros.

Los enanos y el hobbit ayudados por el sabio consejo de Elrond y los conocimientos y memoria de Gandalf, tomaron por el camino que llevaba al paso adecuado.

Habían pasado muchos días desde que dejaron atrás el valle y la última Morada, y aún seguían subiendo y subiendo.

PARECES DESANIMA-DO, BILBO.

Bilbo notaba que su país confortable y seguro con su pequeño agujero hobbit quedaba lejos, muy lejos, al Oeste. Allí arriba empezaba a sentirse un frío cortante y el viento silbaba entre las rocas.

ALLÁ ABAJO ESTÁ LLEGANDO EL VERANO Y YA HAN EMPEZADO LA SIEGA Y LAS ME-RIEN-DAS.

A ESTE PASO ANTES DE QUE EMPECEMOS A BAJAR POR EL OTRO LADO ESTARÁN RECOLECTANDO Y RECOGIENDO MORAS.

Gandalf se limitó a menear la cabeza y no decir nada. Sabía que la maldad y el peligro habían crecido y aumentado en las Tierras Salvajes, desde que los dragones expulsaron a los hombres de sus tierras y los trasgos se diseminaron en secreto después de la batalla de las Minas de Moria.

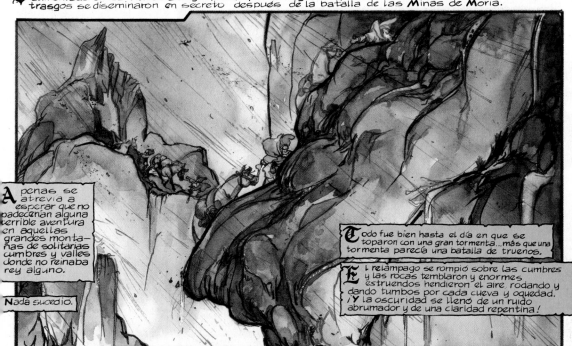

Apenas se atrevía a esperar que no padecerían alguna terrible aventura en aquellas grandes montañas de solitarias cumbres y valles donde no reinaba rey alguno.

Nada sucedió.

Todo fue bien hasta el día en que se toparon con una gran tormenta... más que una tormenta parecía una batalla de truenos.

El relámpago se rompió sobre las cumbres y las rocas temblaron y enormes estruendos hendieron el aire, rodando y dando tumbos por cada cueva y oquedad. ¡Y la oscuridad se llenó de un ruido abrumador y de una claridad repentina!

Bilbo nunca había visto o imaginado nada semejante.

¡OH, CIE-LOS!

Vio a la luz de los relámpagos que habían salido los gigantes de piedra.

Jugaban arrojándose rocas los unos a los otros, recogiéndolas y arrojándolas en la oscuridad donde se rompían contra los árboles de abajo, o se desmenuzaban en mil pedazos.

Luego llegaron el viento y la lluvia, y el viento dispersó la lluvia y el granizo en todas direcciones. Pronto estuvieron empapados y los poneys se encogían de miedo.

Las risotadas y gritos de los gigantes podían oírse en todas las laderas.

¡ESTO NO MARCHA BIEN!

SI NO NOS CAEMOS O NOS AHOGAMOS O SOMOS ACERTADOS POR UN RAYO, NOS COGERÁ UNO DE ESOS GIGANTES Y NOS MANDARÁ AL CIELO JUGANDO AL BALOMPIÉ.

¡THORIN! HEMOS ENCONTRADO UNA CUEVA SECA NO LEJOS DEL PRÓXIMO RECODO Y CABEN LOS PONEYS Y TODO.

¿LA HABÉIS EXPLORADO A FONDO?

¡SÍ, SÍ! NO ES MUY GRANDE Y TAMPOCO MUY PROFUNDA.

MUY BIEN. PUES VAMOS A ECHAR UN VISTAZO A ESA CUEVA.

EL SUELO ESTÁ SECO Y LEJOS DE LA LLUVIA.

¡PERO NADA DE FUEGO! HABRÁ QUE CONFORMARSE CON MUDARSE DE ROPA.

Y extendieron por el suelo sus cosas húmedas y se acomodaron sacando las mantas.

Hablaron y hablaron y se olvidaron de la tormenta, y comentaron lo que haría cada uno con su parte del tesoro (cuando lo obtuviesen, cosa que de momento no parecía imposible.)

Y así fueron quedándose dormidos uno a uno.

Y ésta fue la última vez que usaron los poneys, paquetes y demás parafernalia que habían llevado consigo.

Resultó buena cosa, después de todo, que esa noche tuvieran a Bilbo con ellos. Porque, por alguna razón no pudo dormirse durante mucho tiempo, y cuando se durmió tuvo unos sueños horribles.

NEEEEEE... KYK

¡Sí, trasgos! Había al menos seis para cada enano y dos para Bilbo. Los apresaron a todos y los llevaron por la grieta antes de que pudieras decir **leña y hoguera.**

Pero no a Gandalf.

KROOOM

El grito de Bilbo había servido para eso.

Pero la grieta se cerró de golpe, ¡y Bilbo y los enanos se encontraron en el mal lado!

Los trasgos son crueles, malvados y de mal corazón. No hacen cosas bonitas, pero sí muchas cosas ingeniosas.

Saben hacer muy bien martillos, hachas, puñales, picas, pinzas, y también instrumentos de tortura.

No es improbable que hayan inventado algunas de las máquinas que desde entonces preocupan al mundo, en especial esos ingeniosos aparatos que matan a gran cantidad de gente a la vez.

SWSH SWSH   SMAK

¡THORIN EL ENANO A VUESTRO SERVICIO!

NOS RESGUARDAMOS DE LA TORMENTA EN LO QUE PARECÍA UNA CUEVA ADECUADA Y SIN USAR. NADA MÁS LEJOS DE NOSOTROS EL INCOMODAR DE ALGÚN MODO A LOS TRASGOS.

¡HUM! ¡ESO DICES!

¿PODRÍA PREGUNTAROS QUÉ HACÍAIS EN LAS MONTAÑAS, Y DE DÓNDE VENÍS Y ADÓNDE VAIS?

DE HECHO ME GUSTARÍA SABERLO TODO SOBRE THORIN, ESCUDO DE ROBLE.

¡YA SÉ DEMASIADO SOBRE TU PUEBLO, PERO OIGAMOS LA VERDAD... U OS PREPARARÉ ALGO ESPECIALMENTE INCÓMODO PARA VOSOTROS!

¡ÍBAMOS DE VIAJE A VISITAR A UNOS PARIENTES QUE VIVEN EN LA LADERA ORIENTAL DE ESTAS MONTAÑAS TAN HOSPITALARIAS.

¡ES UN MENTIROSO, OH TÚ EN VERDAD TERRIBLE!

VARIOS DE LOS NUESTROS FUERON FULMINADOS EN LA CUEVA POR UN RAYO CUANDO INVITAMOS A ESTAS CRIATURAS A BAJAR, Y ESTÁN MUERTOS COMO PIEDRAS.

¡TAMPOCO NOS HA EXPLICADO ESTO!

¡OCRIST! ¡LA HIENDE-TRASGOS!

¡LA TRES VECES MALDITA ESPADA DE LOS ELFOS DE GONDOLIN!

¡ASESINOS Y AMIGOS DE ELFOS!

OH, CIELOS.

SCHRANNG

¡GLAM-DRING!

¡ES-TAMOS PERDI-DOS!

¡ES-TAMOS CONDE-NADOS!

¡EL AZOTE DE ENEMI-GOS!

¡SE-GUIDME! ¡RÁPI-DO!

¡MÁS RÁPIDO! VOLVERÁN A ENCENDER LAS ANTORCHAS.

¡UN MOMENTO!

SEÑOR BOLSÓN, PARECE QUE SE RETRASA.

MI ZANCADA NO ES TAN GRANDE COMO LA VUESTRA.

¡VAMOS, SÚBASE!

NO PODEMOS DEJAR ATRÁS A NUESTRO *LADRÓN* ESTANDO LA EMPRESA TAN AVAN-ZADA.

38

Gandalf estaba en lo cierto. Ya se oían ruidos de trasgos y horribles gritos a lo lejos, por los pasadizos que acababan de recorrer. Eso les hizo apresurarse más que nunca.

Y como el pobre Bilbo no podía avanzar ni la mitad de rápido que los enanos, éstos se turnaban para llevarlo a cuestas.

¡OH, POR QUÉ DEJARÍA YO MI AGUJERO HOBBIT!

¡OH, POR QUÉ TRAERÍA YO A ESTE POBRE HOBBIT A UNA CAZA DEL TESORO!

Pero los trasgos son más veloces que los enanos y pronto pudieron oir el ruido de los pies de trasgo, muchos, muchos pies que parecían estar a la vuelta del último recodo.

¡ESTÁN A LA VUELTA! DESENVAINA LA ESPADA, THORIN!

URK

¡MOR-DEDO-RA!

¡DEMO-LEDORA!

¡MOR-DEDORA Y DEMOLE-DORA!

¡HUID!

Pasó bastante tiempo antes de que algún trasgo se decidiera a doblar aquel recodo. Los enanos ya se habían puesto en marcha para entonces y se habían internado en los oscuros túneles del reino de los trasgos.

Cuando los trasgos lo descubrieron, apagaron las antorchas y se pusieron un calzado más blando y eligieron a sus corredores más rápidos, aquellos con la vista y el oído más agudos, y éstos corrieron veloces como comadrejas en la oscuridad y casi tan silenciosos como los murciélagos.

Por eso ni Bilbo, ni los enanos ni Gandalf, les oyeron.

¡OH!

¡DORI!

¡AL-GUIEN!

¡AY!

¡AY!

¡AY!

¡AY!

¡OH!

40

41

¿VOLVER? SERÍA INÚTIL. ¿TORCER A LOS LADOS? ¡IMPOSIBLE! ¿IR HACIA ADELANTE?

¡SÓLO PUEDO HACER UNA COSA! ¡CONTINUAR!

El túnel no parecía tener fin. Todo lo que sabía Bilbo era que seguía bajando, siempre en la misma dirección. De cuando en cuando nacían pasadizos de él que se perdían a cada lado. No se fijó en ellos más que para apresurar el paso por temor a los trasgos.

No sé cuánto tiempo pasó así, odiando seguir adelante, no atreviéndose a parar, caminando y caminando hasta que estuvo más cansado que cansado. Parecía que las cosas seguirían igual al día siguiente y en los días venideros.

¡UGH!

SPLOSH

NO OIGO EL SONIDO DEL AGUA CORRIENTE, ASÍ QUE ES UNA CHARCA O UN LAGO Y NO UN RÍO SUBTERRÁNEO. SEGURAMENTE ESTARÁ LLENO DE COSAS VISCOSAS CON OJOS CIEGOS Y SALTONES, CULEBREANDO EN EL AGUA.

¿Y AHORA POR DÓNDE SIGO?

En las charcas y lagos del corazón de las montañas viven cosas extrañas. Hay peces cuyos antepasados nadaron hasta allí sólo dios sabe cuándo y que nunca volvieron a salir, y también hay cosas más viscosas aún que los peces.

Hasta en los túneles y cuevas practicados por los trasgos hay cosas vivas desconocidas por ellos y que se arrastraron hasta allí desde fuera para morar en la oscuridad.

Aquí, abajo, junto a las lóbregas aguas, vivía el viejo Gollum.

¿QUÉ TIENE ÉL EN LAS MANOSS?

¡UNA ESPADA, UNA HOJA FORJADA EN GON— DOLIN!

SSSSS

QUIZÁ TE SIENTESS AQUÍ Y HABLESS CON ÉL UN POCO, PRECIOSSO MÍO.

¿QUIZÁ LE GUSSTEN LOS ACERTIJOS? ¿QUIZÁ? ¿SÍ? ¿NO?

Gollum estaba ansioso por parecer amable y lo único que se le ocurrieron fueron los acertijos. Hacerlos era la única diversión que tuvo, sentado en su agujero, hace mucho, mucho tiempo, antes de que se arrastrara hasta la oscuridad bajo las montañas.

MUY BIEN.

TÚ PRIME— RO.

¿QUÉ TIENE RAÍCES QUE NO SE VEN, ES MÁS ALTO QUE UN ÁRBOL; ARRIBA, ARRIBA SUBE, Y SIN EMBARGO NO CRECE?

¡ES FÁCIL! UNA MONTAÑA, SUPONGO.

¿LO ADIVINÓ FÁCILMENTE? ¡TENDRÁ QUE COMPETIR CON NOSOTROS, PRECIOSSO MÍO! SI NOS PREGUNTA Y NO RESPONDEMOS HAREMOS LO QUE QUIERA ¿EH? ¡LE ENSEÑAREMOS LA SALIDA, SÍ!

SI PRECIOSSO PREGUNTA Y NO RESPONDE NOS LO COME— REMOS. ¡gollum!

CANTA SIN VOZ, VUELA SIN ALAS, SIN DIENTES MUERDE, SIN BOCA HABLA.

UN MOMEN-TO.

Afortunadamente, Bilbo había oído antes algo semejante y recobrando el ingenio se le ocurrió una respuesta.

EL VIENTO. EL VIENTO, CLA-RO.

Bilbo quedó tan complacido que inventó uno en el acto. "Esto confundirá a esa asquerosa criatura subterránea", pensó.

UN OJO EN LA CARA AZUL VIO UN OJO EN LA CARA VERDE. "ESE OJO ES COMO ESTE OJO", DIJO EL PRIMER OJO, "PERO EN LUGARES BAJOS, NO EN LUGARES ALTOS."

Gollum había estado bajo tierra mucho, mucho tiempo, y estaba olvidando ese tipo de cosas, pero sacó a relucir recuerdos de tiempos y tiempos atrás, cuando vivía con su abuela en un agujero a orillas de un río.

SS, SS, SS.

SSS, SSS, PRECIOSSO MIO. EL SOL SOBRE LAS MARGA-RITAS, ES.

Pero este tipo de acertijos sobre las cosas ordinarias de la superficie fatigaban a Gollum. Más aún, le daban hambre así que esta vez intentó algo más difícil y desagradable:

NO PUEDE SER VISTO, NI SENTIRSE, NI OIRSE, NI OLERSE. ESTÁ DETRAS DE LAS ESTRELLAS Y AL PIE DE LAS COLINAS, Y LLENA LOS VACIOS AGUJEROS. LLEGA PRIMERO Y SIGUE DESPUÉS. ACABA CON LA VIDA, MATA LA RISA.

Desgraciadamente para Gollum, Bilbo había oído algo semejante y en todo caso, la respuesta fue tajante.

LA OSCU-RIDAD.

UNA CAJA SIN BISAGRAS, LLAVE O TAPA, PERO UN DORA-DO TESORO ESCONDE DENTRO.

Bilbo preguntó éste para ganar tiempo hasta que se le ocurriera uno realmente difícil. Aunque lo consideraba muy viejo y fácil resultó ser un terrible problema para Gollum.

... LLAVE O TAPA ...SSS... DORADO TESORO... DENTRO ...SSS ...

¿BUENO, ¿QUE ES?

NO ES UNA TETERA HIRVIENDO, COMO PARECES CREER A JUZGAR POR EL RUIDO QUE HACES.

DA-NOS UNA OPORTUNIDAD; QUE NOS DÉ UNA OPORTUNIDAD, PRECIOSSO MIO...SS ...SS.

SIN-PIERNAS SE APOYA EN UNA PIERNA; DOS-PIER-NAS SE SIENTA CERCA DE TRES-PIERNAS, Y CUATRO-PIERNAS CONSIGUE ALGO.

No era el momento apropiado para ese acertijo, pero Bilbo estaba en un apuro. Quizá Gollum hubiera tenido problemas de habérsele preguntado en otra ocasión. Pero, en ese momento, hablando de peces, "sin piernas" no era muy difícil, y tras eso, el resto era fácil.

UN PEZ EN UNA MESA PEQUEÑA, UN HOMBRE SENTADO A LA MESA, EN UN TABURETE, Y EL GATO CONSIGUE LAS ESPINAS.

Gollum pensó que era momento de preguntar algo difícil y horrible.

DEVORA TODAS LAS COSAS: AVES, BESTIAS, ÁRBOLES, FLORES; MASTICA EL HIERRO, MUERDE EL ACERO; DESHACE PIEDRAS PARA COMER; MATA REYES, ARRUINA CIUDADES, Y DERRIBA ALTAS MONTAÑAS.

El pobre Bilbo permaneció en la oscuridad pensando en todos los horribles nombres de los gigantes y ogros que había oído en los cuentos, pero ni uno de ellos había hecho todas esas cosas.

Tenía la sensación de que era una respuesta muy distinta y que debería conocerla, pero no acababa de ocurrírsele.

48

Bilbo empezo a asustarse y eso es malo para pensar.

La lengua parecía habérsele pegado al paladar. Quería gritar: "¡Dame más tiempo! ¡Dame tiempo!" Pero todo lo que le salió en súbito gemido fue:

¡TIEMPO! ¡TIEMPO!

Bilbo se salvó por pura suerte. Porque, por supuesto, ésa era la respuesta.

AHORA TIENE QUE HACERNOS UNA PREGUNTA, PRECIOSSO, SÍ, SSÍ, SSÍ. SÓLO UN ACERTIJO MÁS QUE RESOLVER, SÍ, SSÍ.

HMMM ...

LAS DOS MAL.

¿QUÉ PASA AHORA CON TU PROMESA?

QUIERO SALIR. DEBES INDICARME EL CAMINO.

Por supuesto, Bilbo sabía que el juego de las adivinanzas era sagrado y de una antigüedad inmensa, y hasta las criaturas malvadas temían hacer trampas mientras lo jugaban. Pero sentía que no podía confiar en que aquella cosa viscosa mantuviera una promesa. Y después de todo, la última pregunta no había sido un verdadero acertijo según las leyes ancestrales.

¿DIJIMOS ESO, PRECIOSSO MÍO? ¡MOSTRAMOS LA SALIDA AL PEQUEÑO Y ASQUEROSO BOLSÓN. SÍ, SÍ, PERO, ¿QUÉ TIENE EN LOS BOLSILLOSS? NI CUERDA, PRECIOSSO, NI NADA. ¡OH, NO! ¡gollum!

ESO NO TE IMPORTA.

UNA PROMESA ES UNA PROMESA.

SÍ QUE ESTÁ IMPACIENTE, PRECIOSO MÍO, PERO DEBE ESPERAR, SÍ. NO PODEMOS SUBIR POR LOS TÚNELES TAN DEPRISA. ANTES DEBEMOS IR Y COGER ALGUNAS COSAS, SÍ, COSAS QUE NOS AYUDEN.

¡BUENO, APRESÚRATE!

Bilbo creía que Gollum sólo estaba buscando una excusa y que no pensaba volver. ¿Qué cosas útiles podía guardar en el oscuro lago? pero se equivocaba; Gollum pensaba volver. Ahora estaba enfadado, y hambriento. Y era una criatura malvada y miserable y ya había fraguado un plan.

No muy lejos estaba su isla, y allí, en un escondrijo guardaba algunos restos miserables y una cosa muy hermosa, muy maravillosa. Tenía un anillo, un anillo de oro, un anillo precioso.

¡MI REGALO DE CUMPLEAÑOS! ¡ESO ES LO QUE QUEREMOS AHORA, SÍ! ¡LO QUEREMOS!

¡MI REGALO DE CUMPLEAÑOS! ¡LLEGÓ A MÍ EN MI CUMPLEAÑOS, PRECIOSSO MÍO!

Lo quería porque era un anillo de poder, y si te lo ponías en un dedo te hacías invisible; sólo podían verte a plena luz del día, y sólo por tu sombra, y ésta sería tenue y temblorosa.

¿Quién sabe cómo llegó a Gollum ese regalo, siglos atrás, en los días que tales anillos abundaban en el mundo?

Quizá ni el Señor que los gobernaba a todos podría haberlo dicho.

Gollum solía ponérselo al principio, hasta que eso le cansó; y luego lo guardó en una bolsa junto al cuerpo, hasta que le lastimó la piel, y ahora, solía esconderlo en un agujero en las rocas de su isla y siempre estaba yendo allí para contemplarlo.

51

Hacía sólo unas horas que lo había llevado puesto y había capturado un pequeño trasgo. ¡Oh, cómo chillaba!

MUY SEGURO, SÍ. NO NOS VERÁ, ¿VERDAD, PRECIOSSO MÍO? NO. Y SU ASQUEROSSA ESPADITA SERÁ INÚTIL. SÍ, MU-CHO.

¿DÓNDE ESTÁ? ¿DÓNDE ESSTÁ?

¡SSE HA PERDIDO, PRECIOSSO MÍO! ¡¡PERDIDO, PERDIDO!! ¡MALDÍCENOS Y APLÁSTANOS, PRECIOSSO MÍO, SE HA PERDIDO!

BUENO, YO TAMBIÉN ME HE PERDIDO Y QUIERO SABER DÓNDE ESTOY. GANÉ EL JUEGO Y TÚ HICISTE UNA PROMESA. ¡ASÍ QUE, ADELANTE! ¡VEN Y GUÍAME FUERA, Y LUEGO SIGUE BUSCANDO!

¡NO, AÚN NO, PRECIOSSO! ¡DEBEMOS BUS-CARLO, SE HA PERDIDO! ¡GOLLUM!

PERO NUNCA ACERTASTE MI ÚLTIMA PREGUNTA E HICISTE UNA PRO-MESA.

¡NUNCA LO ACERTÉ!

SSSSSSSS ¿QUÉ TIENE EN LOS BOLSILLOSSS?

¿QUÉ HAS PERDIDO? ¡DÍMELO!

DEJEMOS DE HABLAR ENTON-CES, PRECIOSO, Y APRESURÉMO-NOS. SI EL BOLSÓN SE HA IDO POR AHÍ, TENEMOS QUE APRESU-RARNOS Y VERLO. ¡VAMOS! NO PUEDE ESTAR MUY LEJOS. ¡DEPRISA!

Bilbo corrió tras él. Su cabeza era un torbellino de asombro y esperanza. Parecía que era el anillo era un anillo mágico que te hacía invisible.

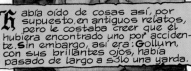

Había oído de cosas así, por supuesto, en antiguos relatos, pero le costaba creer que él hubiera encontrado uno por accidente. Sin embargo, así era: Gollum, con sus brillantes ojos, había pasado de largo a sólo una yarda.

A medida que crecía la cuenta que hacía de los túneles, Gollum aflojaba el paso sollozando y temblando, pues cada vez se alejaba más del agua y cogía miedo.

SIETE A LA DERE-CHA, SÍ. SEIS A LA IZQUIERDA, ¡SÍ!

ÉSTE ES. ÉSTE ES EL CAMINO DE LA PUERTA TRASERA. ¡AQUÍ ESTÁ EL PASADIZO!

PERO NO NOS ATREVE-MOS A ENTRAR, PRECIOSSO, NO. HAY TRASGOSS AQUÍ. MONTONES DE TRASGOSS. LOS OLEMOS. ¡SSSSS!

¿QUÉ PODEMOS HACER? ¡MALDITOS Y APLASTADOS SEAN!

DEBEMOS ESPERAR AQUÍ, PRECIOSSO, ESPERAR UN POCO Y VER.

Y de ese modo se detu-vieron. Al final, Gollum había llevado a Bilbo a la salida, ¡pero Bilbo no podía cruzarla! Bilbo se arrastró alejándose de la pared, más silencioso que un ratón, pero Gollum se inmovilizó, y olfateó y sus ojos se pusieron verdes.

Bilbo casi dejó de respirar y también se quedó quieto. Estaba desesperado. Debía continuar mientras le quedaran energías. Tenía que luchar. Tenía que apuñalar a esa cosa asquerosa, sacarle los ojos, matarla. Quería matarlo a él.

No, no sería una lucha justa. Él era ahora invisible. Gollum no tenía espada. Y no había amenazado con matarlo, ni lo había intentado aún. Y era un ser miserable, solo, perdido.

Una súbita comprensión, una piedad mezclada con horror, asomó al corazón de Bilbo; una visión de interminables días iguales, sin luz o esperanza de mejora. Y, entonces, de pronto, saltó como animado por una energía y resolución nuevas.

¡EEEEE!

Saltó justo sobre la cabeza de Gollum a una distancia de siete pies de distancia y tres de altura.

Cayendo limpiamente sobre sus vigorosos pies, Bilbo corrió túnel arriba.

¡LADRÓN, LADRÓN, LADRÓN! ¡BOLSÓN! ¡LO ODIAMOS, LO ODIAMOS, LO ODIAMOS PARA SIEMPRE!

SI LOS TRASGOS ESTÁN TAN CERCA QUE ÉL PUEDE OLERLOS, ÉSTOS HABRÁN OÍDO SUS CHILLIDOS Y MALDICIONES. CUIDADO AHORA, O ESTO TE LLEVARÁ A COSAS PEORES.

Pronto vio más allá de otro recodo un atisbo de luz. No una luz roja, como la de un fuego o linterna, sino una luz pálida semejante a la del exterior.

Y Bilbo echó a correr.

Corriendo tan rápido como se lo permitían las piernas dobló el último recodo...

...y llegó a un espacio abierto donde la luz, después de todo ese tiempo en la oscuridad, le pareció deslumbrantemente luminosa.

Los trasgos vieron a **B**ilbo antes de que él les viese a ellos. Sí, le vieron. Fuese por accidente o por un último truco del anillo antes de aceptar a su nuevo amo, el caso es que no estaba en su dedo.

¡Arr! ¡Uno de ellos!

¿DÓNDE ESTÁ?

VOLVERÍA AL TÚNEL.

¡JA! ¡JA!

¿EH?

Olvidando hasta desenvainar la espada, **B**ilbo volvió a meterse las manos en los bolsillos. Y allí seguía el anillo, en su bolsillo izquierdo, y lo deslizó a su dedo índice.

Bilbo estaba terriblemente asustado, pero tuvo el juicio para comprender lo que había pasado y apartarse del camino.

¡POR AQUÍ!

¡POR AQUÍ!

¡VIGILAD LA PUERTA!

¿POR DÓNDE SE HA IDO?

El pobre hobbit esquivó aquí y allá, fue derribado por un trasgo, se escurrió a cuatro patas justo a tiempo, se levantó y corrió hacia la puerta.

La puerta seguía entreabierta, pero un trasgo la había casi cerrado. **B**ilbo forcejeó con ella pero no pudo moverla. Intentó colarse por la abertura. Empujó y empujó y se quedó atascado. Los botones se le habían enganchado en la puerta. Alcanzaba a ver el aire libre, pero no podía pasar.

TNK

TNK

PNK

HAY UNA SOMBRA EN LA PUERTA. ¡HAY ALGO FUERA!

Bilbo pasó con una capa y una capucha rasgadas, saltando por los escalones como una cabra. Por supuesto, los trasgos fueron enseguida tras él, gritando y ululando. Pero no les gustaba el sol: hacía que les temblaran las piernas y la cabeza les diera vueltas. NO pudieron encontrar a **B**ilbo con el anillo puesto, así que pronto volvieron gruñendo y maldiciendo a guardar la puerta.

Bilbo había escapado.

¡CIELOS!

PARECE QUE ESTOY AL OTRO LADO DE LAS MONTAÑAS NUBLADAS, JUSTO AL BORDE DE LAS TIERRAS DEL MÁS ALLÁ.

¿DÓNDE HABRÁN PODIDO IR GANDALF Y LOS ENANOS? ¡SÓLO ESPERO QUE NO SE HAYAN QUEDADO ATRÁS EN PODER DE LOS TRASGOS!

Bilbo recorrió por fuera el elevado valle, por su borde y bajando luego por sus laderas; pero todo ese tiempo crecía en su interior un pensamiento muy incómodo.

Se preguntaba si no debía, ahora que tenía el anillo mágico, volver a los horribles, horribles túneles y buscar a sus amigos.

Acababa de decidir que ese era su deber y que debía volver, por muy desdichado que se sintiera, cuando oyó...

¿VOCES?

ES BALIN. Y NO ME VE.

¡EL ANILLO! ¡CLARO QUE NO ME VE!

DARÉ A TODOS UNA SORPRESA.

DESPUÉS DE TODO ES MI AMIGO, Y NO ES MAL TIPO. ME SIENTO RESPONSABLE DE ÉL. OJALÁ NO LO HUBIERAIS PERDIDO.

HA DADO MÁS PROBLEMAS QUE SERVIDO PARA ALGO. SI TENEMOS QUE VOLVER A ESOS ABOMINABLES TÚNELES A BUSCARLO, ENTONCES PEOR PARA ÉL, DIGO YO.

LE TRAJE YO Y YO NO TRAIGO COSAS QUE NO SIRVEN. O BIEN ME AYUDÁIS A BUSCARLO, U OS DEJARÉ AQUÍ PARA QUE SALGÁIS DE ESE EMBROLLO COMO PODÁIS.

TÚ TAMBIÉN LO HABRÍAS DEJADO CAER SI UN TRASGO TE COGIERA UNA PIERNA EN LA OSCURIDAD.

¿Y POR QUÉ NO VOLVISTE A COGERLE?

¡CIELOS! ¿Y ME LO PREGUNTAS? ¡CON TRASGOS LUCHANDO Y MORDIENDO EN LA OSCURIDAD, CON TODOS CAYENDO SOBRE TODOS Y GOLPEÁNDOSE!

¿POR QUÉ TUVISTE QUE DEJARLO CAER, DORI?

TÚ GRITASTE "¡SEGUIDME TODOS!" Y TODOS TENÍAN QUE HABERTE SEGUIDO. Y AQUÍ ESTAMOS SIN EL LADRÓN, ¡QUE EL CIELO LO CONFUNDA!

¡AQUÍ ESTÁ EL LADRÓN!

¡BILBO!

¡EL LADRÓN!

Señor, ¡cómo saltaron! Luego hubo gritos de sorpresa y alegría.

Querían saberlo todo sobre sus aventuras después de que le perdieran, y Bilbo les contó todo... excepto el hallazgo del anillo ("por ahora no", pensó).

...Y SALTÉ SOBRE GOLLUM Y ESCAPÉ, Y CORRÍ HACIA LA PUERTA.

¿Y LOS GUARDIAS? ¿NO HABÍA?

¡OH, SÍ! MUCHOS.

PERO LES ESQUIVÉ. ME QUEDÉ ATASCADO EN LA PUERTA, Y PERDÍ MUCHOS BOTONES, PERO CONSEGUÍ PASAR Y AQUÍ ESTOY.

Es un hecho que la reputación de Bilbo entre los enanos aumentó mucho después de esto.

Luego Gandalf explicó cómo había vuelto a aparecer, cómo había aprovechado el relámpago que mató a los trasgos que lo agarraban para pasar por la abertura, cómo siguió a trasgos y prisioneros hasta el gran salón, cómo preparó allí, en las sombras la mejor magia que pudo y cómo es que conoció la puerta de atrás donde Bilbo había perdido los botones.

DEBEMOS PARTIR ENSEGUIDA. LOS TRASGOS NOS PERSEGUIRÁN A CIENTOS CUANDO LLEGUE LA NOCHE. PUEDEN OLER NUESTRAS PISADAS HORAS Y HORAS DESPUÉS DE QUE HAYAMOS PASADO. DEBEMOS HABER AVANZADO MUCHAS MILLAS ANTES DE LA NOCHE.

¡OH, SÍ! UNO PIERDE LA NOCIÓN DEL TIEMPO DENTRO DE LOS TÚNELES DE LOS TRASGOS. HOY ES JUEVES Y FUE LA NOCHE DEL LUNES O LA MAÑANA DEL MARTES CUANDO NOS CAPTURARON. ESTAMOS DEMASIADO AL NORTE Y TENEMOS DELANTE UNA REGIÓN DESAGRADABLE. ¡PARTAMOS YA!

LA GUARDARÁN DOBLEMENTE DESPUÉS DE ESTO.

Pero Gandalf dirigió una extraña mirada a Bilbo y el hobbit se preguntó si habría adivinado la parte de su relato que se había callado.

A medida que andaban, las sombras aumentaban a su alrededor. Aun así continuaron todo lo rápido que pudieron; y durante ese tiempo la lobreguez del bosque se hacía cada vez más pesada y su silencio más profundo.

No había ningún viento vespertino que despertara un susurro de mar en las ramas de los árboles.

¿TENEMOS QUE SEGUIR TODAVÍA MÁS? TENGO LOS DEDOS DE LOS PIES HERIDOS Y TORCIDOS, Y LAS PIERNAS DOLORIDAS Y MI ESTÓMAGO SE BALANCEA COMO UNA BOLSA VACÍA.

UN POCO MÁS.

¡LOBOS!

AARROOOOO...

ROO ROO ARROOOOO

¡QUÉ HARE— MOS, QUÉ HARE— MOS!

¡ESCAPAR A LOS TRAS— GOS PARA SER COMIDOS POR LOBOS!

LOS ÁR— BOLES, ¡RÁPI— DO!

¡HA— BÉIS VUELTO A DEJAROS AL LA— DRÓN!

¡NO PUEDO CARGAR SIEMPRE CON LADRONES POR TÚNELES Y ÁRBOLES! ¿QUÉ CREÉIS QUE SOY? ¿UN POR— TEADOR?

SE LO COMERÁN SI NO HACEMOS ALGO.

¡DORI! ¡DATE PRISA Y ECHA UNA MANO AL SEÑOR BOLSÓN!

¡DESE PRISA, SEÑOR BOL— SÓN!

¡OH!

GRRR GRRR

GRRR

GRRR GRRR

GRRR

Un minuto después había toda una manada de wargos (pues así se llamaban los lobos malvados de los bordes del Yermo) gruñendo alrededor del árbol y saltando al tronco, con ojos encendidos y lenguas fuera. Hablaron en la espantosa lengua de los wargos y aunque Bilbo no la comprendía, Gandalf sí, y os contaré lo que oyó.

Parecía ser que se había planeado una gran incursión de trasgos para esa noche contra los hombres audaces que venían del Sur, derribando árboles y edificándose moradas para vivir. Los wargos venían a reunirse con los trasgos y éstos llevaban retraso.

Sin duda, la razón era la muerte del Gran Trasgo y toda la excitación causada por los enanos, Bilbo y Gandalf, a los que debían seguir buscando.

Los wargos estaban furiosos y desconcertados por encontrar a Gandalf y sus amigos en su lugar de reunión. Pensaban que eran amigos de los leñadores y que habían venido a espiarles y delatar sus planes. Así que los wargos no tenían intención de marcharse y dejar que escapara la gente de los árboles, de ningún modo antes de mañana.

Pero mucho antes de eso bajarían los soldados trasgos de las montañas; y los trasgos pueden trepar a los árboles, o derribarlos.

FFFT

FUSSH

FRROOM

RAR

¿QUÉ ES TODO ESE TUMULTO EN EL BOSQUE?

¡OIGO LOBOS! ¡VOCES!

¿ANDARÁN LOS TRASGOS DE FECHORÍAS EN EL BOSQUE?

Así que, aunque no veía a la gente en los árboles, pudo ver la conmoción entre los lobos y los minúsculos destellos de fuego.

Ahora comprenderéis por qué Gandalf, escuchando sus aullidos y gañidos, empezaba a estar mortalmente asustado, por muy mago que fuera. Sin embargo, no iba a dejarles que se salieran con la suya.

El señor de las Águilas de las Montañas Nubladas tenía ojos que podían mirar al sol sin un pestañeo, y ver a un conejo que se moviese a una milla de distancia bajo la luz de la luna.

Esa noche sentía mucha curiosidad por saber lo que acaecía, de modo que se convocó a otras águilas, y bajaron, bajaron, lentamente haciendo círculos.

59

Enloquecidos y coléricos, los wargos saltaban y aullaban alrededor de los árboles. Los trasgos llegaron entonces, corriendo y gritando.

¡MA-CHACAD-LOS!

¡GOL-PEAD-LOS!

Pensaban que se libraba una batalla contra los hombres de los bosques, pero pronto advirtieron lo que realmente pasaba. Los trasgos no temen al fuego y pronto tuvieron un plan que les pareció de lo más divertido.

¡VOLAD PAJARITOS! ¡VOLAD SI PODÉIS!

Corrieron alrededor de los árboles golpeando y pisoteando hasta que se apagaron casi todas las llamas, pero sin tocar el fuego cercano a los árboles donde estaban los enanos. Ese fuego lo alimentaron con hojas y ramas secas y helechos.

¡FUERA DE AQUÍ, NIÑOS!

¡NO ES ÉPOCA DE BUSCAR NIDOS! Y A LOS NIÑOS MALOS QUE JUEGAN CON FUEGO SE LES CASTIGA.

¡QUINCE PÁJAROS EN CINCO ABETOS, CON PLUMAS AVENTADAS POR ARDIENTES BRISAS!

¡CANTAD PAJARITOS! ¿POR QUÉ NO CANTÁIS?

¡QUE ARDAN, QUE ARDAN, ÁRBOLES Y HELECHOS! ¡MARCHITOS Y ABRASADOS! ¡QUE LA SISEANTE ANTORCHA ILUMINE LA NOCHE PARA NUESTRO CONTENTO!

¡EA, YA!

Y con este ¡Ea, ya! las llamas llegaron al árbol de Gandalf. Se extendieron a los otros en un momento. La corteza ardió, las ramas más bajas crujieron.

KA-KA-ZZZAAZZ

Entonces Gandalf trepó a la copa de su árbol. Un súbito resplandor estalló en su vara como un relámpago cuando se aprestó a saltar hacia las lanzas de los trasgos.

Pero no llegó a saltar.

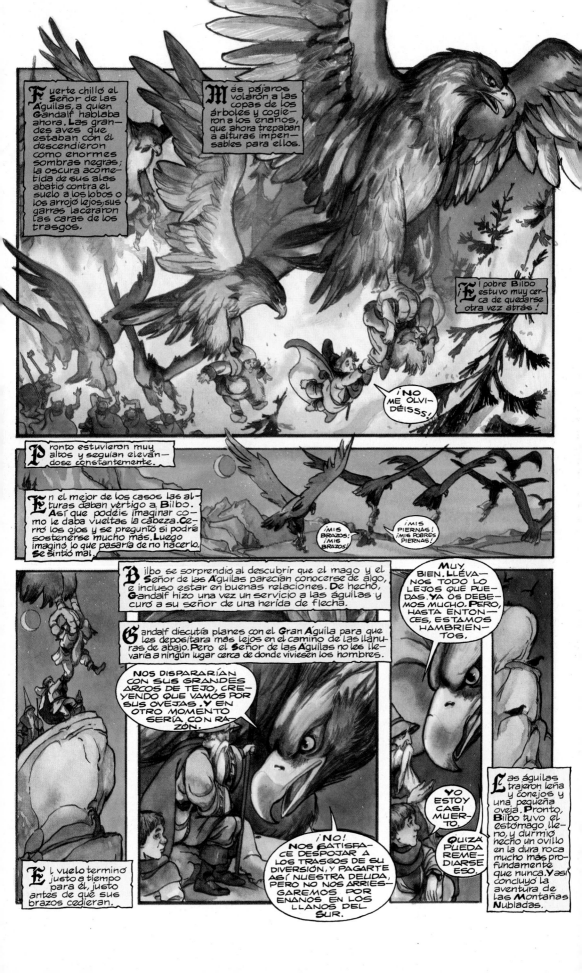

Fuerte chilló el Señor de las Águilas, a quien Gandalf hablaba ahora. Las grandes aves que estaban con él descendieron como enormes sombras negras; la oscura acometida de sus alas abatió contra el suelo a los lobos o los arrojó lejos; sus garras laceraron las caras de los trasgos.

Más pájaros volaron a las copas de los árboles y cogieron a los enanos, que ahora trepaban a alturas impensables para ellos.

El pobre Bilbo estuvo muy cerca de quedarse otra vez atrás!

¡NO ME OLVIDÉISSS!

Pronto estuvieron muy altos y seguían elevándose constantemente.

En el mejor de los casos las alturas daban vértigo a Bilbo. Así que podéis imaginar como le daba vueltas la cabeza. Cerró los ojos y se preguntó si podría sostenerse mucho más. Luego imaginó lo que pasaría de no hacerlo. Se sintió mal.

¡MIS BRAZOS! ¡MIS BRAZOS!

¡MIS PIERNAS! ¡MIS POBRES PIERNAS!

Bilbo se sorprendió al descubrir que el mago y el Señor de las Águilas parecían conocerse de algo, e incluso estar en buenas relaciones. De hecho, Gandalf hizo una vez un servicio a las águilas y curó a su señor de una herida de flecha.

Gandalf discutía planes con el Gran Águila para que les depositara más lejos en el camino de las llanuras de abajo. Pero el Señor de las Águilas no les llevaría a ningún lugar cerca de donde viviesen los hombres.

MUY BIEN. LLÉVANOS TODO LO LEJOS QUE PUEDAS. YA OS DEBEMOS MUCHO. PERO, HASTA ENTONCES, ESTAMOS HAMBRIENTOS.

NOS DISPARARÍAN CON SUS GRANDES ARCOS DE TEJO, CREYENDO QUE VAMOS POR SUS OVEJAS. Y EN OTRO MOMENTO SERÍA CON RAZÓN.

YO ESTOY CASI MUERTO.

QUIZÁ PUEDA REMEDIARSE ESO.

Las águilas trajeron leña y conejos y una pequeña oveja. Pronto, Bilbo tuvo el estómago lleno, y durmió hecho un ovillo en la dura roca mucho más profundamente que nunca. Y así concluyó la aventura de las Montañas Nubladas.

El vuelo terminó justo a tiempo para él, justo antes de que sus brazos cedieran.

¡NO! NOS SATISFACE DESPOJAR A LOS TRASGOS DE SU DIVERSIÓN, Y PAGARTE ASÍ NUESTRA DEUDA, PERO NO NOS ARRIESGAREMOS POR ENANOS EN LOS LLANOS DEL SUR.

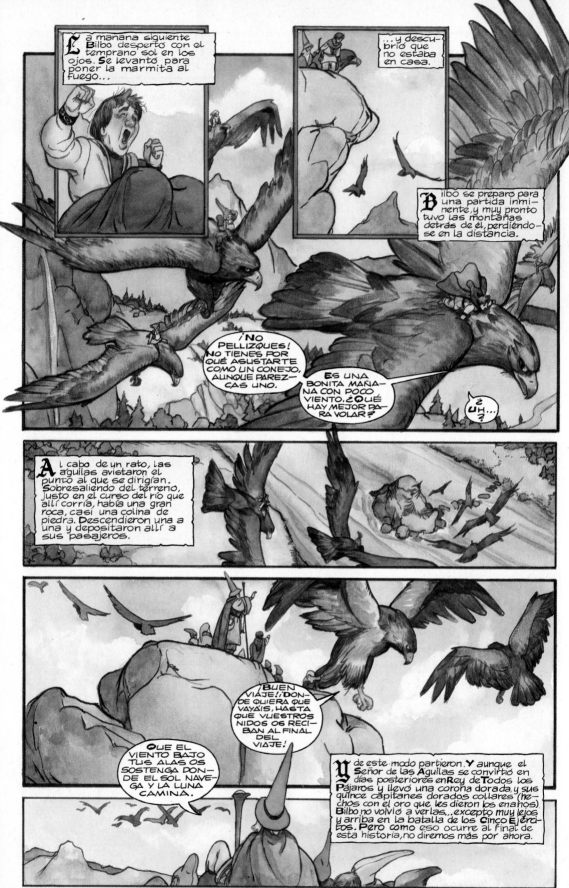

La mañana siguiente Bilbo despertó con el temprano sol en los ojos. Se levantó para poner la marmita al fuego...

...y descubrió que no estaba en casa.

Bilbo se preparó para una partida inminente, y muy pronto tuvo las montañas detrás de él, perdiéndose en la distancia.

¡NO PELLIZQUES! NO TIENES POR QUÉ ASUSTARTE COMO UN CONEJO, AUNQUE PAREZCAS UNO.

ES UNA BONITA MAÑANA CON POCO VIENTO. ¿QUÉ HAY MEJOR PARA VOLAR?

¿UH...?

Al cabo de un rato, las águilas avistaron el punto al que se dirigían. Sobresaliendo del terreno, justo en el curso del río que allí corría, había una gran roca, casi una colina de piedra. Descendieron una a una y depositaron allí a sus pasajeros.

¡BUEN VIAJE! ¡DONDE QUIERA QUE VAYÁIS, HASTA QUE VUESTROS NIDOS OS RECIBAN AL FINAL DEL VIAJE!

QUE EL VIENTO BAJO TUS ALAS OS SOSTENGA DONDE EL SOL NAVEGA Y LA LUNA CAMINA.

Y de este modo partieron. Y aunque el Señor de las Águilas se convirtió en días posteriores en Rey de Todos los Pájaros y llevó una corona dorada, y sus quince capitanes dorados collares (hechos con el oro que les dieron los enanos) Bilbo no volvió a verlas...excepto muy lejos y arriba en la batalla de los Cinco Ejércitos. Pero como eso ocurre al final de esta historia, no diremos más por ahora.

63

A DECIR VERDAD, HEMOS PERDIDO NUESTRO EQUIPAJE Y CASI EL CAMINO Y NECESITAMOS AYUDA. DIRÍA QUE HEMOS PASADO UN MAL RATO CON TRASGOS EN LAS MONTAÑAS.

RECORRÍAMOS LAS MONTAÑAS Y NOS REFUGIAMOS EN UNA CUEVA. EN CUANTO NOS DORMIMOS APARECIERON LOS TRASGOS Y COGIERON AL HOBBIT Y LA RECUA DE PONEYS.

ADE-LANTE. ¡LLÁMA-LOS!

¿TRASGOS? ¿POR QUÉ OS ACERCASTEIS A ELLOS?

¿UNA RECUA DE PONEYS? ¿QUÉ ERAIS... UN CIRCO AM-BULANTE? ¿O ES QUÉ LLAMÁIS DOS A UNA RECUA?

NO ERA NUESTRA INTENCIÓN. VENIMOS A... ES UNA LARGA HISTO-RIA.

ENTONCES SERÁ MEJOR QUE ENTRÉIS Y ME LA CONTÉIS, SI NO LLEVA TODO EL DÍA.

¡OH, NO! HABÍA MÁS DE DOS PONEYS, PUES ÉRAMOS MÁS DE DOS. NO QUISE MOLESTAROS CON TODOS NOSOTROS HASTA NO SABER SI ESTABAIS OCUPADO. CON VUESTRO PERMISO LES LLAMARÉ.

WHEEET

¿DÓNDE ESTABA YO? AH, SÍ... ¡NO ME COGIERON A MÍ! MATÉ UN TRASGO O DOS CON UN RAYO Y LES SEGUÍ HASTA EL GRAN SALÓN. YO ME DIJE: "¿QUÉ PUEDE HACER UNA DOCE-NA CONTRA TANTOS?"

OH, AQUÍ VIE-NEN LOS OTROS.

Y Gandalf continuó su relato con la forma en que perdieron al señor Bolsón y la reaparición del hobbit...

ÉSOS NO SON HOBBITS, SINO ENANOS. Y ES LA PRIME-RA VEZ QUE OIGO LLAMAR UNA DOCENA A OCHO.

NO PARECEN HABER VENIDO TODOS.

WHEEEET

...su huida por el bosque y su trepar a los árbo-les con trasgos debajo gritando "Quince pája-ros en cinco abetos..."

BIEN, AHORA *ESTÁN* AQUÍ LOS QUINCE, Y, COMO PARECE QUE LOS TRASGOS *SABEN* CONTAR, PUEDE QUE AHORA ACABEMOS LA HISTORIA SIN MÁS INTE-RRUPCIONES.

¡CIELOS! NO ME VENGÁIS AHORA CON QUE LOS TRASGOS NO SABEN CONTAR. DOCE NO SON QUINCE, Y ELLOS LO SABEN.

AHÍ VIENEN BIFUR Y BOFUR, NO ME AVENTURÉ A PRESENTARLOS ANTES, PERO AHÍ LOS TIENES.

El señor Bolsón vio entonces lo as-tuto que había sido **G**andalf. Las interrupciones habían hecho que **B**eorn se interesara más en la historia, y la historia le impidió echar a los enanos como mendigos sospechosos.

Y YO TAM-BIÉN.

¡Y A MÍ!

Para cuando el mago terminó su relato, el sol se había puesto bajo los picos de las **M**ontañas **N**ubladas y **B**eorn les invitó a cenar.

Fue una merienda, o una cena, como no la habían tenido desde que dejaron la Última Morada en el Oeste y se despidieron de Elrond.

Todo el tiempo mientras comían, Beorn contó historias de las tierras salvajes de aquel lado de las montañas y especialmente del terrible Bosque Negro.

Cuando terminaron la cena, los enanos contaron historias a su vez de oro, plata y del arte de la herrería, pero Beorn prestó poca atención, no pareciéndole importarle esas cosas.

Es hora de dormir para nosotros, pero creo que no para Beorn.

En esta sala podemos descansar seguros, pero os advierto que no olvidéis lo que Beorn os dijo antes de irse: No os paseéis por afuera hasta que salga el sol; es peligroso.

La oscura noche llegó al exterior y Bilbo empezó a dar cabezadas.

Bilbo despertó en la noche y oyó un gruñido fuera y se preguntó si sería Beorn en forma encantada, y si entraría como un oso para matarlos. Se hundió bajo las mantas y escondió la cabeza y por fin se durmió pese a sus temores.

La mañana estaba ya avanzada cuando despertó para ver que no había señales de Beorn o Gandalf. No fue hasta el atardecer que no reapareció el Mago.

¿Dónde está nuestro anfitrión — y dónde has estado TÚ?

Contestaré primero a la segunda pregunta... pero, ¡caramba!, ¡es un lugar estupendo para hacer anillos de humo!

Y durante un buen rato no pudieron sacarle nada más.

Estuve siguiendo unas huellas de oso. Aquí fuera debió tener lugar una reunión regular de osos. Pronto vi que Beorn no pudo haberlas hecho todas; había demasiadas y de diferentes tamaños. Venían de todas las direcciones, excepto de las montañas. Sólo unas iban en esa dirección.

Seguí ésas todo lo lejos que pude. Iban en dirección al bosque de pinos donde anoche tuvimos nuestro desagradable encuentro con los wargos.

Y ahora creo que también he respondido vuestra primera pregunta.

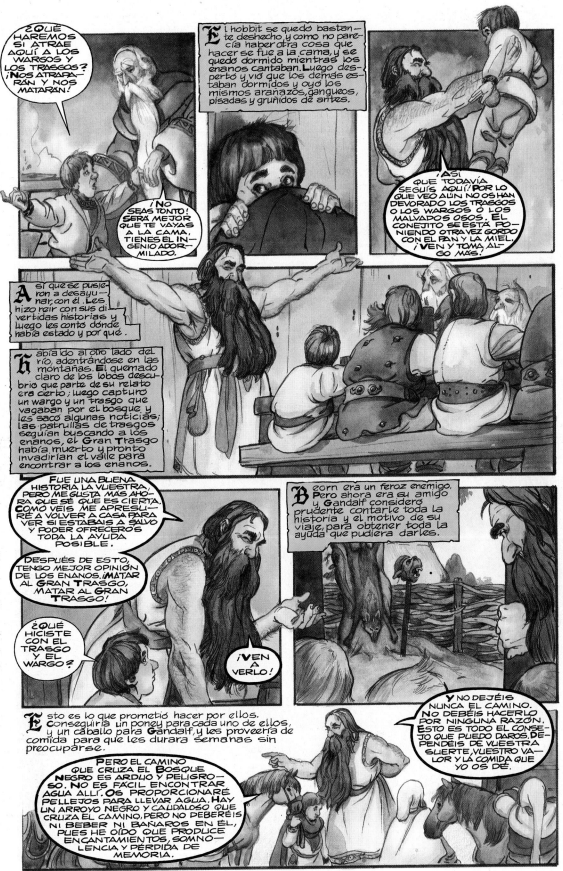

¿QUÉ HAREMOS SI ATRAE AQUÍ A LOS WARGOS Y LOS TRASGOS? ¡NOS ATRAPARÁN Y NOS MATARÁN!

El hobbit se quedó bastante deshecho y como no parecía haber otra cosa que hacer se fue a la cama, y se quedó dormido mientras los enanos cantaban. Luego despertó y vio que los demás estaban dormidos y oyó los mismos arañazos, gangueos, pisadas y gruñidos de antes.

¡NO SEAS TONTO! SERÁ MEJOR QUE TE VAYAS A LA CAMA, TIENES EL INGENIO ADORMILADO.

¡ASÍ QUE TODAVÍA SEGUÍS AQUÍ! POR LO QUE VEO AÚN NO OS HAN DEVORADO LOS TRASGOS O LOS WARGOS O LOS MALVADOS OSOS. EL CONEJITO SE ESTÁ PONIENDO OTRA VEZ GORDO CON EL PAN Y LA MIEL. ¡VEN Y TOMA ALGO MÁS!

Así que se pusieron a desayunar con él. Les hizo reír con sus divertidas historias y luego les contó dónde había estado y por qué.

Había ido al otro lado del río, adentrándose en las montañas. El quemado claro de los lobos descubrió que parte de su relato era cierto; luego capturó un wargo y un trasgo que vagaban por el bosque y les sacó algunas noticias; las patrullas de trasgos seguían buscando a los enanos, el Gran Trasgo había muerto y pronto invadirían el valle para encontrar a los enanos.

FUE UNA BUENA HISTORIA LA VUESTRA, PERO ME GUSTA MÁS AHORA QUE SÉ QUE ES CIERTA. COMO VEIS, ME APRESURARÉ A VOLVER A CASA PARA VER SI ESTABAIS A SALVO Y PODER OFRECEROS TODA LA AYUDA POSIBLE.

DESPUÉS DE ESTO, TENGO MEJOR OPINIÓN DE LOS ENANOS. ¡MATAR AL GRAN TRASGO, MATAR AL GRAN TRASGO!

¿QUÉ HICISTE CON EL TRASGO Y EL WARGO?

¡VEN A VERLO!

Beorn era un feroz enemigo, pero ahora era su amigo, y Gandalf consideró prudente contarle toda la historia y el motivo de su viaje, para obtener toda la ayuda que pudiera darles.

Esto es lo que prometió hacer por ellos. Conseguiría un poney para cada uno de ellos, y un caballo para Gandalf, y les proveería de comida para que les durara semanas sin preocuparse.

PERO EL CAMINO QUE CRUZA EL BOSQUE NEGRO ES ARDUO Y PELIGROSO. NO ES FÁCIL ENCONTRAR AGUA ALLÍ. OS PROPORCIONARÉ PELLEJOS PARA LLEVAR AGUA. HAY UN ARROYO NEGRO Y CAUDALOSO QUE CRUZA EL CAMINO, PERO NO DEBERÉIS NI BEBER NI BAÑAROS EN ÉL, PUES HE OÍDO QUE PRODUCE ENCANTAMIENTOS, SOMNOLENCIA Y PÉRDIDA DE MEMORIA.

Y NO DEJÉIS NUNCA EL CAMINO. NO DEBÉIS HACERLO POR NINGUNA RAZÓN. ESTO ES TODO EL CONSEJO QUE PUEDO DAROS. DEPENDÉIS DE VUESTRA SUERTE, VUESTRO VALOR Y LA COMIDA QUE YO OS DÉ.

EN LA ENTRADA DEL BOSQUE DEBERÉIS ENVIARME DE VUELTA CABALLO Y PONEYS, PERO OS DESEO QUE PODÁIS MARCHAR DE PRISA, Y MI CASA ESTARÁ ABIERTA SI VOLVÉIS A PASAR POR AQUÍ.

¡A TU SERVICIO, OH, SEÑOR DE LOS AMPLIOS SALONES DE MADERA!

Siguiendo el consejo de Beorn, no se dirigieron al camino principal del bosque que había al Sur. Les había advertido que ahora solía ser frecuentado por trasgos, mientras que el verdadero camino del bosque, según había oído decir, estaba cubierto de maleza y abandonado en su parte oriental llevando sus senderos a pantanos impenetrables.

El paso del Este siempre había estado demasiado al Sur de la Montaña Solitaria, y les habría obligado a hacer una larga y difícil caminata una vez estuvieran al otro lado.

Beorn les aconsejó que fueran al Norte, pues a pocos días de la Carroca había un sendero poco conocido que atravesaba el bosque y, conducía casi directamente, a la Montaña Solitaria.

"Pero yo cabalgaría deprisa." había dicho Beorn, "pues si los trasgos bajan pronto del valle, cruzarán el río y explorarán todo el linde del Bosque para cortaros el paso, y los wargos son más veloces que los poneys, ¡partid ahora lo más rápido que podáis!"

A medida que se espesaban las sombras, Bilbo creyó ver la silueta de un gran oso yendo en su misma dirección. Pero cuando se atrevió a mencionárselo a Gandalf, éste sólo dijo, "¡Chsst! Haz como si no lo vieras."

La tarde del cuarto día llegaron al Bosque Negro, y descansaron casi bajo las enormes ramas de sus primeros árboles.

¡BIEN, AQUÍ TENEMOS EL BOSQUE NEGRO! ¡EL MAYOR DE LOS BOSQUES DEL MUNDO SEPTENTRIONAL. ESPERO QUE OS AGRADE. AHORA HAY QUE DEVOLVER LOS EXCELENTES PONEYS QUE OS HAN PRESTADO.

¿DEBEMOS DEVOLVERLOS YA? HAY MUCHO QUE ACARREAR.

BEORN NO ESTÁ TAN LEJOS COMO SUPONÉIS. ¡LOS OJOS DEL SEÑOR BOLSÓN SON MÁS PENETRANTES QUE LOS VUESTROS, SI NO HABÉIS VISTO POR LA NOCHE A UN GRAN OSO QUE SEGUÍA NUESTRO CAMINO Y SE TUMBABA A LA LUZ DE LA LUNA VIGILANDO NUESTRO CAMPAMENTO! NO SÓLO PARA GUARDARNOS Y GUIARNOS, SINO TAMBIÉN PARA VIGILAR LOS PONEYS.

NO SABES LO QUE TE PASARÍA SI INTENTAS METERLOS EN EL BOSQUE.

68

NO HAS DICHO NADA SOBRE DEVOLVER EL CABALLO. ¿QUÉ HAY DE TU PROMESA?

ES INÚTIL DISCUTIRLO. COMO YA OS HE DICHO, TENGO ASUNTOS URGENTES EN EL SUR, Y YA LLEGO TARDE. PERO ENVÍO AL SEÑOR BOLSÓN CON VOSOTROS. YA OS HE DICHO ANTES QUE VALE MÁS DE LO QUE CREÉIS, Y LO DESCUBRIRÉIS ANTES DE MUCHO.

Nada más quedaba por hacer excepto llenar los pellejos y descargar los poneys. Distribuyeron los fardos todo lo equitativamente que pudieron aunque Bilbo pensó que su lote era demasiado pesado.

YO ME OCUPARÉ DE ESO. ¡NO HAY QUE DEVOLVER EL CABALLO, VOY A MONTARLO!

¡ASÍ QUE ALEGRAOS, THORIN Y COMPAÑÍA!

AL FIN Y AL CABO, ES VUESTRA EXPEDICIÓN. ¡PENSAD EN EL TESORO QUE OS AGUARDA!

¿ENTONCES AL FINAL VAS A DEJARNOS?

¡NO TE PREOCUPES! TODO SE ALIGERARÁ DENTRO DE POCO, CUANDO EMPIECE A ESCASEAR LA COMIDA.

Por fin dijeron adiós a sus poneys, que se dirigieron hacia su casa. A medida que se alejaban, Bilbo habría jurado que algo parecido a un oso dejaba la sombra de los árboles e iba tras ellos arrastrando las patas.

¡ADIÓS A TODOS, ADIÓS! SEGUID TODO RECTO POR EL BOSQUE. ¡NO ABANDONÉIS EL SENDERO! SI LO HACÉIS, HAY UNA POSIBILIDAD ENTRE MIL DE QUE VOLVÁIS A ENCONTRARLO Y SALGÁIS ALGUNA VEZ DEL BOSQUE, Y ENTONCES ES SEGURO DE QUE NI YO NI NADIE VOLVERÁ A VEROS.

O LO ATRAVESÁIS O ABANDONÁIS VUESTRA EMPRESA.

ANTES DE PODER RODEAR EL BOSQUE POR EL NORTE OS VERÍAIS ENTRE LAS LADERAS DE LAS MONTAÑAS GRISES, Y ESTÁN PLAGADAS DE TRASGOS, HOBOTRASGOS Y ORCOS DE LA PEOR ESPECIE.

ANTES DE PODER RODEARLO POR EL SUR, ENTRARÍAIS EN EL PAÍS DEL NIGROMANTE; Y NI SIQUIERA TÚ, BILBO, NECESITAS QUE CUENTE HISTORIAS SOBRE ESE HECHICERO NEGRO.

¿ES REALMENTE NECESARIO QUE LO ATRAVESEMOS? ¿NO PODEMOS RODEARLO?

NO OS SALGÁIS DEL SENDERO DEL BOSQUE Y CON UNA GRAN CANTIDAD DE SUERTE QUIZÁ SALGÁIS UN DÍA DE ÉL Y VEÁIS A LO LEJOS LA MONTAÑA SOLITARIA DONDE VIVE SMAUG, AUNQUE CONFÍO EN QUE NO OS ESTÉ ESPERANDO.

MUY CONSOLADOR POR TU PARTE. ¡ADIÓS! SI NO VIENES CON NOSOTROS SERÁ MEJOR TE VAYAS SIN UNA PALABRA MÁS.

¡ADIÓS, Y ESTA VEZ DE VERDAD!

¡SED BUENOS, Y CUIDAROS, Y NO ABANDONÉIS EL SENDERO!

Pronto la luz de la entrada al bosque fue como un brillante agujerito detrás de ellos y el silencio era tan denso que sus pies parecían golpear pesadamente mientras los árboles se inclinaban sobre ellos y escuchaban.

El bosque estaba tan oscuro de mañana como de noche, y muy secreto: "es una sensación como si vigilaran y esperaran," se dijo Bilbo.

Había negras ardillas en los árboles y Bilbo veía destellos de ellas escurriéndose detrás de los troncos. También había extraños ruidos, gruñidos, susurros y correteos en la maleza, pero los inquisitivos ojos de Bilbo no pudieron ver lo que producían los ruidos.

Las cosas más desagradables que vieron fueron las telarañas que se extendían de árbol a árbol. No había ninguna atravesando el sendero, pero no sabían si era porque las apartaba alguna magia o por cualquier otra razón.

No pasó mucho tiempo sin que empezaran a odiar tanto el bosque como odiaron los túneles de los trasgos, y parecía ofrecer aún menos esperanza de llegar a su término. Pero debían seguir y seguir, aún después de creer que no podrían sin ver antes un poco de sol o de cielo, o sentir el viento en sus caras.

Las noches eran lo peor. Entonces se volvía oscuro como el carbón, pero no lo que llamáis negro carbón, sino realmente oscuro; tan negro que no podías ver nada. Bueno, quizá no sea cierto decir que no podían ver nada. Veían ojos. Y los ojos que menos gustaban a Bilbo eran unos horribles pálidos y bulbosos. "Ojos de insecto," pensó, "no son ojos de animal pero son demasiado grandes."

A medida que los días siguieron a los días, y el bosque seguía siendo igual, empezaron a sentirse agobiados. La comida no duraría eternamente, de hecho empezaba a haber poca. Intentaron abatir las ardillas y desperdiciaron muchas flechas antes de poder derribar una sobre el sendero. Pero cuando las asaron resultaron tener un sabor horrible y no dispararon a más ardillas.

También estaban sedientos, pues no tenían demasiada agua y en todo este tiempo no habían visto ningún arroyo o manantial.

En ese estado se hallaban cuando un día encontraron el camino bloqueado por una corriente de agua. Fluía rápida y alborotada y era negra o lo parecía en la oscuridad.

Estuvo bien que Beorn les hubiera advertido en su contra, o habrían bebido de él, fuera cual fuera su color, y llenado con ella sus vacíos pellejos. Así que, sólo pensaron en cómo atravesarla sin mojarse.

HAY UN BOTE EN LA OTRA ORILLA.

¿POR QUÉ NO PODRÁ ESTAR EN ESTE LADO?

¿CUÁN LEJOS CREES QUE ESTÁ?

NO MUY LEJOS, CREO QUE NO A MÁS DE DOCE YARDAS.

¿NO PUEDE ALGUIEN ARROJAR UNA CUERDA? NO CREO QUE EL BOTE ESTÉ ATADO, AUNQUE NO PUEDO ESTAR MUY SEGURO CON ESTA LUZ, PERO, ME PARECE QUE SÓLO ESTÁ VARADO EN LA ORILLA.

Fili creía ver el bote. Así que los demás le trajeron una cuerda y ataron a su extremo uno de los grandes ganchos de hierro que utilizaban para sujetarse las mochilas a los hombros.

¡CON CUIDADO! CAYÓ DENTRO DEL BOTE; ESPEREMOS QUE SE ENGANCHE.

¡DOCE YARDAS! YO DIRÍA QUE AL MENOS TREINTA, PERO MIS OJOS NO VEN TAN BIEN COMO HACE CIEN AÑOS. NO PODEMOS SALTARLO, Y NO NOS ATREVEMOS A VADEARLO O NADAR.

Lo hizo. La cuerda se tensó y Fili tiró en vano.

Fili acudió en su ayuda, y luego Oin y Gloin.

¡GUAA!

¡OOOF!

SÍ QUE ESTABA ATADA.

FUE UN BUEN TIRÓN, MUCHACHOS, Y BUENA SUERTE QUE NUESTRA CUERDA FUERA MÁS SÓLIDA.

¡SOCORRO!

¿QUIÉN CRUZARÁ PRIMERO?

YO, Y TÚ VENDRÁS CONMIGO, Y FILI Y BALIN. NO CABEMOS MÁS EN EL BOTE. LUEGO KILI, OIN, GLOIN Y DORI. SEGUIRÁN ORI Y NORI, BIFUR Y BOFUR, Y POR ÚLTIMO DWALIN Y BOMBUR.

YO SIEMPRE SOY EL ÚLTIMO, Y NO ME GUSTA. ¡HOY LE TOCA A OTRO!

NO TENDRÍAS QUE ESTAR TAN GORDO. TAL COMO ERES, TIENES QUE CRUZAR EL ÚLTIMO Y CON CARGA MÁS LIGERA. NO EMPIECES A QUEJARTE DE LAS ÓRDENES O LO PASARÁS MAL.

NO HAY REMOS. ¿CÓMO IMPULSAREMOS EL BOTE HASTA LA OTRA ORILLA?

DADME OTRO TROZ DE CUERD, Y OTRO GANCHO

SUBID AHORA. QUE UNO DE NOSOTROS TIRE DE LA CUERDA QUE HE ARROJADO AL ÁRBOL DE LA OTRA ORILLA. QUE OTRO SUJETE EL GANCHO QUE TIRAMOS PRIMERO PARA QUE PUEDAN TIRAR DE ÉL CUANDO ESTEMOS A SALVO AL OTRO LADO Y TRAER DE VUELTA EL BOTE.

De este modo pronto estuvieron a salvo al otro lado del arroyo encantado...

...cuando ocurrió algo malo.

THU-BA-TUP THU-BA-TUP THU-BA-TUP

SPOOOSH

¡BOMBUR SE HA CAÍDO!

¡BOMBUR SE AHOGA!

Le arrojaron pronto cuerdas con ganchos en su extremo y le sacaron a la orilla. Estaba empapado de pies a cabeza, claro, pero esto no fue lo peor.

Cuando le dejaron sobre la orilla se durmió rápidamente; y dormido continuó pese a todo lo que pudieran hacerle.

TA-RUMM
TA-RUMM

Entonces fueron conscientes del débil sonido de cuernos en el bosque y del sonido de perros ladrando a lo lejos.

De pronto, apareció en el sendero un ciervo blanco, pero antes de que Thorin pudiera gritar, los enanos habían disparado ya las últimas flechas de sus arcos. Ninguno pareció encontrar su objetivo y ahora los arcos que Beorn les había dado eran inútiles.

Esa noche fueron una triste partida, y la oscuridad pareció pesar aún más sobre ellos en los días consiguientes. Si tan sólo hubieran sabido algo más del bosque, y meditado sobre el significado de la cacería y el ciervo blanco, habrían sabido que por fin iban hacia el linde este del bosque.

Pero no lo sabían, y estaban cargados con el pesado cuerpo de Bombur, y unos días después no les quedaba prácticamente nada para comer o beber. Nada apetitoso veían crecer en el bosque; sólo hongos y hierbas de hojas pálidas y desagradable olor.

Había veces en que oían una risa inquietante. A veces también oían cantos en la distancia. La risa era risa de voces armoniosas, no de trasgos, y el canto era hermoso, pero sonaba misterioso y extraño y en vez de sentirse reconfortados se apresuraron a dejar esos parajes con las fuerzas que les restaban.

Dos noches después comieron sus últimas migajas de comida y al despertar la mañana siguiente notaron que seguían hambrientos.

Su único consuelo vino inesperadamente de Bombur.

¿HUH?

¿POR QUÉ HABRÉ DESPERTADO? TENÍA UNOS SUEÑOS TAN HERMOSOS. SOÑÉ CON UN REY DEL BOSQUE CON UNA CORONA DE HOJAS, Y CON ALEGRES CANCIONES, Y NO PUEDO CONTAR O DESCRIBIR TODAS LAS COSAS QUE HABÍA PARA COMER Y BEBER.

NO TIENES QUE INTENTARLO. DE HECHO, SINO VAS A HABLAR DE OTRA COSA, SERÁ MEJOR QUE CALLES.

YA ESTAMOS BASTANTE HARTOS CONTIGO SIENDO COMO ERES.

Bombur no tenía ni idea de dónde estaban, pues había olvidado todo lo acaecido desde que iniciaron su viaje aquella mañana de Mayo hace tanto tiempo. Cuando oyó que no había nada de comer, se echó a llorar.

No había nada que pudiera hacerse ahora salvo apretarse el cinturón alrededor de sus vacíos estómagos y seguir el sendero sin grandes esperanzas de llegar a su fin antes de morir de hambre y cansancio.

¿QUE FUE ESO? CREÍ VER UN DESTELLO DE LUZ ENTRE LOS ÁRBOLES.

PARECE COMO SI MIS SUEÑOS SE HICIERAN REALIDAD. DEBE HABER COSAS DE COMER Y BEBER. VAMOS A MIRAR.

UN BANQUETE NO SERVIRÁ DE NADA, SI NO SALIMOS VIVOS DE ÉL. GANDALF Y BEORN NOS ADVIRTIERON CONTRA DEJAR EL SENDERO.

PERO SIN UN BANQUETE NO SEGUIREMOS VIVOS MUCHO TIEMPO.

Lo discutieron largo rato del derecho y del revés. Al final, pese a las advertencias, el hambre les decidió, porque Bombur no paraba de describir todas las cosas buenas que, según su sueño, se estaban comiendo en el banquete, así que se internaron juntos bosque adentro.

Luego de mucho arrastrarse y gatear miraron por entre los árboles. Había mucha gente allí de aspecto élfico, pero lo más espléndido de todo era que estaban comiendo y bebiendo y riendo alegremente.

¡NO NOS APRESUREMOS! QUE NADIE SALGA DE SU ESCONDITE HASTA QUE YO LO DIGA. ENVIAREMOS PRIMERO AL SEÑOR BOLSÓN A HABLAR CON ELLOS. NO SE ASUSTARÁN DE ÉL, Y, DE TODOS MODOS, NO CREO QUE LE HAGAN NADA MALO.

Antes de que tuviera tiempo de ponerse el anillo, Bilbo fue empujado hacia la luz del fuego y las antorchas.

FWOOOF

Las luces se apagaron como por arte de magia. Se encontraron perdidos en una oscuridad completamente desprovista de luz y no pudieron encontrarse unos a otros, al menos no por un buen rato, y por supuesto, habían olvidado en que dirección quedaba el sendero.

¡BILBO BOLSÓN! ¡HOBBIT! ¡MALDITO HOBBIT!

¡EH, HOBBIT MALHAJADO! ¿DÓNDE ESTÁS?

BILB... OH.

MMMM... TENÍA UN SUEÑO TAN BONITO, TODOS PARTICIPANDO EN UNA ESPLÉNDIDA CENA.

¡SANTO CIELO! ¡ESTÁ COMO BOMBUR!

HA APARECIDO UN BUEN RESPLANDOR NO MUY LEJOS DE AQUÍ... CENTENARES DE ANTORCHAS Y MUCHAS HOGUERAS SE HAN ENCENDIDO LA VEZ COMO POR MAGIA. ¡Y SE OYEN CANTOS Y ARPAS!

Tras descansar y escuchar un rato, descubrieron que no podían resistir el deseo de acercarse e intentar conseguir ayuda una vez más. Y esta vez el resultado fue desastroso.

El banquete que veían ahora era mayor y más magnífico que antes; y a la cabecera de una larga hilera de comensales había un rey de los bosques con una corona de hojas sobre sus rubios cabellos, muy parecido a la descripción que Bombur hizo de su sueño. Las caras de la gente élfica y sus cantos estaban llenas de regocijo. Altas y claras y hermosas eran sus canciones...

...y fuera salió Thorin, apareciendo entre ellos.

FWOOOF

Brasas y cenizas cayeron en los ojos de los enanos y el bosque volvió a llenarse de sus clamores y gritos.

¿DORI? ¿NORI? ¿ORI?

OIN, GLOIN, FILI, KILI.

¡BOMBUR! ¡BIFUR! ¡BOFUR!

¡DWALIN! ¡BALIN! ¡THORIN ESCUDO DE ROBLE!

Los gritos de los enanos fueron haciéndose más lejanos y débiles. Al rato le pareció que se tornaban en gritos y distantes llamadas de socorro. Entonces Bilbo se quedó solo en un completo silencio y oscuridad.

Aquel fue uno de los momentos más desgraciados de la vida de Bilbo. Pero pronto decidió que era inútil intentar nada antes de que el día trajese alguna luz. Y no por última vez se encontró pensando en su lejano agujero hobbit con sus hermosas despensas.

¡AAA!

THOK

De alguna forma, el matar él solo a la araña gigante, en la oscuridad, sin ayuda del mago o los enanos o algún otro, marcó una gran diferencia para el señor Bolsón. Se sentía una persona diferente, mucho más feroz y valiente pese a su estómago vacío.

¡TE DARÉ UN NOMBRE Y TE LLAMARÉ AGUIJÓN!

Después de eso se dispuso a explorar. Intentó adivinar lo mejor que pudo la dirección de la que vinieron los gritos, y por suerte (había nacido con una buena cantidad de ella) acertó más o menos la dirección correcta, como podréis ver.

Avanzó muy despacio, tan hábilmente como pudo, y también se puso el anillo. Por eso las arañas no le vieron ni oyeron acercarse.

FUE UNA LUCHA DURA, PERO VALIÓ LA PENA. ¡QUÉ PIELES MÁS ASQUEROSAS Y GRUESAS TIENEN, PERO SEGURO QUE DENTRO TIENEN UN BUEN JUGO.

SÍ, SERÁN UN BUEN BOCADO CUANDO LLEVEN UN TIEMPO COLGADOS.

NO LOS COLGUÉIS DEMASIADO TIEMPO. NO ESTÁN TAN GORDOS COMO DEBERÍAN. NO HAN DEBIDO COMER MUCHO ÚLTIMAMENTE.

MATADLOS YA, DIGO YO. MATADLOS Y COLGADLOS UN TIEMPO.

APOSTARÍA A QUE YA ESTÁN MUERTOS.

NO, NO LO ESTÁN. ACABO DE VER MOVERSE A UNO. COMO SI DESPERTARA DE UN HERMOSO SUEÑO, DIRÍA YO. OS LO MOSTRARÉ.

MMRMPH
APOSTARÍA A QUE ES EL BUENO DE BOMBUR.
PHUD
TENÍAS RAZÓN. LA COMIDA ESTÁ VIVA Y COLEANDO.
PRONTO ACABARÉ CON ESO.
KLAP
KLOP
Cuando cayeron muertas las dos arañas hubo una gran conmoción en la colonia de arañas y olvidaron algo a los enanos, os lo aseguro. No podían ver a Bilbo, pero podían adivinar de qué dirección venían las piedras.
Pero Bilbo pronto se movió a un lugar diferente. Se le ocurrió la idea de atraer a las enfurecidas arañas todo lo lejos de los enanos que pudiera.

¡ARAÑA GORDA Y VIEJA QUE HILAS EN UN ARBOL! ¡ARAÑA GORDA Y VIEJA QUE NO ME VES! ¡VENENOSA, VENENOSA! ¿NO PARARAS, NO PARARAS TU HILADO Y VENDRAS A BUSCARME?

¡WHUCK!

¡VIEJA TONTONA TODA CUERPO GRANDE! ¡VIEJA TONTONA, NO PUEDES ESPIARME! ¡VENENOSA, VENENOSA, DEJATE CAER! ¡NUNCA ME COGERAS EN LOS ARBOLES!

No era una canción muy buena, pero debéis recordar: tuvo que componerla ahí mismo, en el apuro de un momento muy difícil. De todos modos tuvo el efecto buscado.

Las arañas se dirigieron hacia su voz más rápido de lo que esperaba. Estaban terriblemente enojadas. Aun dejando a un lado lo de las piedras, a ninguna araña le gusta ser llamada Venenosa, y Tontona es un insulto para cualquiera.

Todas ellas persiguieron al hobbit corriendo por suelo y árboles, agitando sus peludas patas, chasqueando las pinzas, con los ojos saltones rabiando y echando espuma—rajos.

Le siguieron al bosque todo lo lejos que se atrevió a ir Bilbo. Y luego volvió silencioso como un ratón.

Bilbo sabía que tenía muy poco tiempo antes de que las arañas se enfadaran y volvieran a sus árboles donde colgaban los enanos. Mientras tanto tendría que rescatarlos.

De un modo u otro, Fili consiguió subirse a la rama, y entonces hizo todo lo posible para ayudar al hobbit, aunque se sentía mareado y enfermo por el veneno de las arañas.

Ninguno de los demás enanos estaba mejor que Fili, y alguno estaba peor... y todavía quedaban cinco enanos colgando de las ramas cuando volvieron las arañas.

¡YA TE VEMOS, ASQUEROSA CRIATURA! TE COMEREMOS Y DEJAREMOS TU PIEL Y HUESOS COLGANDO DE UN ARBOL.

¡UGH! ¡TAMBIÉN TIENE UN AGUIJÓN! BUENO, LE COGEREMOS DE TODOS MODOS Y LE COLGAREMOS BOCA ABAJO UN DIA O DOS.

¿DÓNDE SE HA METIDO EL SEÑOR BOLSÓN?

NO LO SÉ, PERO APRESÚRATE Y HAZ LO QUE DIJO O NOS COGERÁN A TODOS.

¡BAJAD! ¡BAJAD! VOY A DESAPARECER.

LA PEREZOSA LOB Y LA LOCA COB TEJEN TELAS PARA CAZARME. MEJOR QUE OTRAS CARNES SOY MÁS; ENCONTRARME NO PODÉIS..

SI— QUE CANTANDO Y TE ENCONTRARE— MOS...

...PRON— TO. ¡AURK!

THOK

SI PUEDO, ALEJARÉ A LAS ARAÑAS DE AQUÍ. VOSOTROS TENÉIS QUE SEGUIR JUNTOS Y MARCHAR EN DIRECCIÓN CONTRARIA. POR ALLÍ, A LA IZQUIERDA, ES MÁS O MENOS HACIA DONDE ÍBAMOS CUANDO VI— MOS POR ÚLTIMA VEZ EL FUEGO DE LOS ELFOS.

¡SE— GUID! ¡SEGUID! ¡QUE YO CLAVA— RÉ EL AGUI— JÓN!

Y eso hizo. Cortaban sus patas y acuchillaba sus gordos cuerpos si se acercaban demasiado a él. Las arañas se hinchaban de rabia y farfullaban y espumajeaban y siseaban horribles maldiciones, pero acabaron teniendo miedo a Aguijón y no se atrevieron a acercarse mucho.

THAK

Los enanos empezaron a hacerle preguntas. Hicieron que les explicara cuidadosamente lo de su desaparición, y el hallazgo del anillo les interesó tanto que por un rato olvidaron sus propios problemas.

Saber la verdad sobre la desaparición no disminuyó su opinión sobre Bilbo, pues vieron que no carecía de ingenio, ni de suerte, además de un anillo mágico... y las tres cosas eran posesiones muy útiles.

¿GOLLUM? ¡CARAMBA! ¡YA VEO! ¡LOS BOTONES EN EL UMBRAL! EL BUENO DE BILBO ...BILBO... BO...BO...

Y, mientras le maldecían, su presa se alejó poco a poco. Cuando Bilbo sintió que no podría asestar un golpe más, las arañas se rindieron y dejaron de seguirle volviendo decepcionadas a su antigua colonia.

¿DÓNDE ESTÁ THORIN?

Fue un golpe terrible. Desde luego, sólo eran trece, doce enanos y un hobbit. ¿Dónde estaba Thorin? Se preguntaron qué desgracia le habría acaecido, si encantamientos o monstruos oscuros, y se estremecieron, perdidos en el bosque. Y ahí debemos dejarlos por ahora, demasiado enfermos y débiles para ponerse a vigilar o turnarse haciendo guardia.

Thorin había sido capturado mucho antes. Recordaréis que Bilbo cayó dormido como un tronco cuando entró en el círculo de luz de los fuegos élficos. La vez siguiente fue Thorin quien avanzó primero y, cuando se apagaron las luces, cayó como una piedra encantada. Todos los sonidos de la batalla habían pasado inadvertidos para él. Luego los elfos del bosque fueron por él, lo ataron y se lo llevaron.

Las gentes de los banquetes eran elfos del bosque, por supuesto. No son gente mala. Si tienen algún defecto es su desconfianza hacia los extraños. Y eran precavidos hasta en esos días que su magia era potente.

Se diferenciaban de los Altos Elfos de Poniente en que eran más peligrosos y menos sabios, pues la mayoría de ellos (así como sus parientes dispersos en colinas y montañas) descendían de viejas tribus que nunca fueron a la Tierra Occidental de las Hadas.

Los súbditos del rey vivían y cazaban principalmente en los claros del bosque y tenían casas o chozas en el suelo o en las ramas. Las hayas eran sus árboles favoritos. La cueva del rey era su palacio, además de sitio seguro para sus tesoros y fortaleza de su pueblo contra sus enemigos.

También era mazmorra para sus prisioneros. Y a esa cueva arrastraron a Thorin, no muy amablemente, pues no les gustaban los enanos y le consideraban un enemigo. En los días de antaño tuvieron guerras con algunos enanos, a los que acusaron de robar sus tesoros.

Es justo decir que los enanos tienen una versión distinta, y que la familia de Thorin nada tenía que ver con la disputa de la que hemos hablado.

En consecuencia, Thorin se enojó por el trato recibido una vez le quitaron el hechizo y recobró el conocimiento, y estaba decidido a que no le arrancasen ni una palabra sobre oro o joyas.

¿POR QUÉ INTENTASTEIS TÚ Y LOS TUYOS DOS VECES DURANTE LA FIESTA?

NO LOS ATACAMOS. QUERÍAMOS MENDIGAR PORQUE TENÍAMOS HAMBRE.

¿DÓNDE ESTÁN AHORA TUS AMIGOS, Y QUÉ HACEN?

NO LO SÉ, PERO SUPONGO QUE MORIR DE HAMBRE EN EL BOSQUE.

¿QUÉ HACÍAIS EN EL BOSQUE?

BUSCAR COMIDA Y BEBIDA, PORQUE TENÍAMOS HAMBRE.

PERO, ¿QUÉ OS TRAJO AL BOSQUE?

¡MUY BIEN! LLEVAOSLO Y PONEDLO A BUEN RECAUDO HASTA QUE DESEE DECIR LA VERDAD, AUNQUE SEA DENTRO DE CIEN AÑOS.

Allí en las mazmorras del rey, quedó el pobre Thorin, y tras agradecer el pan y la carne y el agua que le dieron, empezó a preguntarse qué habría sido de sus infortunados amigos. No tardó mucho en descubrirlo.

El día siguiente a la batalla con las arañas, Bilbo y los enanos hicieron un último y desesperado esfuerzo para encontrar una salida antes de morir de hambre y sed. Se levantaron y tambalearon en la dirección que ocho de los trece creían que estaba el sendero, pero nunca descubrieron si tenían razón.

Nadie pensó en luchar. Aunque los enanos no estuvieran en tal estado que se alegraran de ser capturados, sus pequeños cuchillos, las únicas armas que tenían, habrían sido inútiles contra las flechas de los elfos, que acertaban al ojo de un pájaro en la oscuridad.

Bilbo se puso el anillo y se apartó a un lado. Por eso los elfos nunca encontraron o contaron al hobbit.

Vendaron los ojos a cada enano, pero eso no marcó mucha diferencia, pues ni siquiera Bilbo con los ojos descubiertos podía ver por dónde iban, y ni él ni los otros sabían dónde habían empezado a caminar.

Los elfos empujaron a los enanos por el puente que conducía a las puertas del rey, pero Bilbo titubeó en la retaguardia. Sólo se hizo a la idea de no abandonar a sus amigos justo a tiempo de pasar por entre las filas de elfos, antes de que las grandes puertas se cerraran detrás suyo.

DESATADLOS. AQUÍ NO NECESITAN CUERDAS. NO HAY ESCAPATORIA DE MIS PUERTAS MÁGICAS PARA LOS QUE ALGUNA VEZ SON TRAÍDOS AQUÍ.

¿QUÉ HEMOS HECHO, OH REY? ¿ES UN CRIMEN PERDERSE EN EL BOSQUE, ESTAR HAMBRIENTO O SEDIENTO Y SER ATRAPADO POR LAS ARAÑAS? ¿ACASO LAS ARAÑAS SON VUESTROS ANIMALES DOMESTICADOS O MASCOTAS PARA QUE MATARLAS OS ENFUREZCA?

ES UN CRIMEN ANDAR POR MI PAÍS SIN MI PERMISO Y EMPLEANDO EL CAMINO QUE HIZO MI PUEBLO. ¿ACASO NO ACOSASTEIS E IMPORTUNASTEIS A MI GENTE EN EL BOSQUE Y DESPERTASTEIS A LAS ARAÑAS CON VUESTROS GRITOS?

¡DESPUÉS DE TODO EL DISTURBIO QUE HABÉIS PROVOCADO, TENGO DERECHO A SABER LO QUE OS TRAE AQUÍ Y SI NO ME LO DECÍS OS ENCERRARÉ EN CELDAS SEPARADAS HASTA QUE APRENDÁIS A SER SENSATOS Y TENER MODALES!

obre señor
Bolsón! Pasó
en aquel lugar
una larga y aburri-
da temporada, solo
y escondiéndose
siempre, no atrevién-
dose nunca a quitar-
se el anillo, osando
apenas dormir, aún
escondido en los más
oscuros y remotos
rincones que podía
encontrar. Por hacer
algo, se puso a
recorrer el palacio
del rey de los elfos.

Soy como un ladrón que no puede escapar y que debe seguir robando la misma casa día tras día.

¡Ésta debe ser la parte más monóto-na y gris de toda esta desdichada e incómoda aventura!

Ojalá estuviera en mi aguje-ro de hobbit junto al fue-go y a la luz de las lámparas.

A menudo también de-seó poder enviar un mensa-je de socorro al mago, pero por supuesto, era imposible; pronto se dio cuenta de que, si había que hacer algo, tendría que hacerlo el señor Bolsón, solo y sin ayuda.

Por fin luego de una o dos semanas de esta vida furtiva, vigilando y si-guiendo a los guardias, con-siguió saber donde estaba encerrado cada enano. Cuál fue su sorpresa al descubrir un día que había otro enano más en prisión, en un lugar especialmente oscuro.

Por supuesto, enseguida adivinó que éste era Thorin; y al poco pudo confirmarlo.

Thorin tuvo una larga charla, susurraba con el hobbit, y así fue como Bilbo pudo llevar secretamente mensajes de Thorin a los demás enanos, diciéndoles que su jefe estaba preso cerca de ellos, y que ninguno revelara su empresa al rey antes de que Thorin se lo dijera.

Pues Thorin había recuperado los ánimos al oír la forma en que el hobbit rescató a sus compañeros de las arañas, y estaba decidido a no salvarse prometiendo al rey una parte del tesoro hasta que no hubiera desaparecido cualquier otra esperanza de escapar...

...o hasta que el notable señor Bolsón Invisible (del que empezaba a tener una muy alta opinión, por cierto) fracasase en discurrir alguna idea ingeniosa...

Al recibir el men-saje, los demás enanos estuvieron de acuerdo.

Pero Bilbo no estaba tan esperanzado co-mo ellos. Se sentó y pensó y pensó hasta que casi le estalló la cabe-za, pero sin tener ningu-na brillante idea. Un anillo invisible era algo muy valioso, pero no va-lía de mucho entre catorce.

Pero, ya habréis adivinado que al final rescató a sus amigos. Fue así como sucedió.

Un día, mientras curioseaba y deambulaba, Bilbo descubrió algo muy interesante. Las grandes puertas no eran la única entrada a las cuevas.

Un arroyo corría por la parte más profunda del palacio para unirse al Río del Bosque más al Este. En la ladera de la colina donde nacía ese río subterráneo había una compuerta, y desde allí podía dejarse caer un portalón hasta el mismo lecho del río, impidiendo que alguien entrase o saliese.

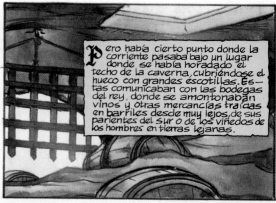

Pero había cierto punto donde la corriente pasaba bajo un lugar donde se había horadado el techo de la caverna, cubriéndose el hueco con grandes escotillas. Estas comunicaban con las bodegas del rey, donde se amontonaban vinos y otras mercancías traídas en barriles desde muy lejos, de sus parientes del sur o de los viñedos de los hombres en tierras lejanas.

Cuando los barriles estaban vacíos, los elfos los arrojaban por las escotillas, abrían el portalón y afuera flotaban los barriles arrastrados por la corriente hasta un lugar del río cercano al linde este del Bosque Negro. Allí eran recogidos y atados y transportados a la Ciudad del Lago...

...una ciudad de hombres construida sobre puentes, aquí adentro, como protección contra toda clase de enemigos y muy especialmente el dragón de la Montaña.

Bilbo pasó un tiempo meditando sobre esta compuerta y preguntándose si podría utilizarse para la huida de sus amigos, y por fin tuvo los desesperados inicios de un plan.

VEN CONMIGO Y PRUEBA EL NUEVO VINO QUE ACABA DE LLEGAR. ESTA NOCHE TRABAJARÉ DURO LIMPIANDO LAS BODEGAS DE BARRILES VACÍOS, ASÍ QUE TOMEMOS ANTES UN TRAGO QUE NOS AYUDE A TRABAJAR.

MUY BIEN. LO PROBARÉ CONTIGO Y VERÉ SI ES DIGNO DE LA MESA DEL REY. ¡HOY HAY UN BANQUETE Y NO QUISIERA ENVIAR NADA MALO!

Una suerte desusada acompañaba a Bilbo. Debe ser un vino muy potente el que atonte a un elfo del bosque, pero este vino parecía de la cosecha de los jardines de Dorwinion, no destinado a soldados y sirvientes, sino sólo a los banquetes del rey, y para copas pequeñas, no para los grandes jarros del mayordomo.

ZZHNR
ZZHNR

ZZHNR

Primero abrió la puerta de Balin, cerrándola a continuación una vez el enano estuvo fuera.

¡DEBES SEGUIRME! O ESCAPAMOS TODOS O NINGUNO, Y ESTA ES NUESTRA ÚNICA OPORTUNIDAD. SI NOS DESCUBREN, EL CIELO SABE DÓNDE OS ENCERRARÁ ENTONCES EL REY ¡NO DISCUTAS Y OBEDÉCEME!

Después fueron de puerta en puerta hasta que le siguieron doce. Tras mucho extraviarse llegaron a la mazmorra de Thorin, en una zona apartada y profunda, y afortunadamente no muy lejana a las bodegas.

¡QUÉ TE PARECE! GANDALF DIJO LA VERDAD, COMO SIEMPRE. PARECE QUE ERES UN BUEN LADRÓN CUANDO LLEGA EL MOMENTO.

ESTOY SEGURO DE QUE, TRAS ESTO, SIEMPRE ESTAREMOS A TU SERVICIO. PERO, ¿QUÉ HACEMOS AHORA?

Bilbo vio que había llegado el momento de explicar su idea todo lo rápido que le era posible, pero no estaba muy seguro de cómo se lo tomarían los enanos. Sus miedos eran justificados, porque no les gustó nada.

¡NOS MAGULLAREMOS Y NOS HAREMOS PEDAZOS, Y TAMBIÉN NOS AHOGAREMOS!

CREÍMOS QUE HABÍAS IDEADO ALGO SENSATO CUANDO TE APODERASTE DE LAS LLAVES.

¡ES UNA IDEA DE LOCOS!

¡MUY BIEN! VOLVED ENTONCES A VUESTRAS CELDAS Y VOLVERÉ A ENCERRAROS PARA QUE OS SENTÉIS CÓMODAMENTE Y PENSÉIS UN PLAN MEJOR... PERO NO CREO QUE PUEDA VOLVER A CONSEGUIR LAS LLAVES, AUNQUE ME DEN GANAS DE INTENTARLO.

Esto fue demasiado para ellos y se calmaron. Así que siguieron al hobbit, arrastrándose hasta lo más profundo de las bodegas...

ESTO LE AHORRARÁ ALGUNOS PROBLEMAS EN QUE SE VA A METER. NO ES MAL TIPO Y BASTANTE DECENTE CON LOS PRISIONEROS. ESTO INTRIGARÁ A TODOS. PENSARÁN QUE TENEMOS UNA GRAN MAGIA CON NOSOTROS PARA PODER PASAR POR ESAS PUERTAS CERRADAS Y DESAPARECER.

¡DESAPARECER!

...pero cuando pasaron junto al dormido guardia, Bilbo volvió a poner las llaves en su cinturón.

TENEMOS QUE DARNOS MUCHA PRISA SI QUEREMOS QUE PASE ESO.

Había poco tiempo que perder. Bilbo sabía que dentro de poco bajarían los elfos para ayudar al mayordomo a echar los barriles vacíos por la escotilla del río.

Algunos eran barriles de vino, y éstos eran poco útiles pues no podían abrirse por un extremo sin hacer mucho ruido, ni luego podían cerrarse bien. Pero había otros muchos que se utilizaron para traer al palacio del rey, mantequilla, manzanas, y todo tipo de cosas.

Bilbo hizo lo posible para encontrar paja y otros materiales con que empaquetarlos lo mejor que pudo en tan poco tiempo.

Pronto encontraron trece con sitio bastante para un enano cada uno.

Balin, que fue el último, armó un gran alboroto sobre sus agujeros para respirar, diciendo que se ahogaba, incluso antes de que se cerrara la tapa.

¿DÓNDE ESTÁ EL VIEJO GALIÓN? NO LE HE VISTO HOY EN LA MESA. DEBERÍA ESTAR AQUÍ PARA MOSTRARNOS LO QUE DEBE HACERSE.

ME ENFADARÉ COMO SE RETRASE EL VIEJO PEREZOSO. NO ME APETECE PERDER TIEMPO AQUÍ ABAJO MIENTRAS SE CANTA ARRIBA.

¡JA, JA! ¡AQUÍ ESTÁ EL VIEJO TUNANTE CON LA CABEZA EN UN JARRO! ¡HA MONTADO UN PEQUEÑO BANQUETE PARA ÉL Y SU AMIGO EL CAPITÁN!

¡SACÚDELO! ¡DESPIÉRTALO!

LLEGÁIS TARDE. YO AQUÍ ESPERANDO Y ESPERANDO MIENTRAS VOSOTROS BEBÉIS Y FESTEJÁIS Y OLVIDÁIS VUESTRO DEBER. ¡NO OS EXTRAÑE QUE ME DUERMA DE ABURRIMIENTO!

¡NO NOS EXTRAÑA, CUANDO LA EXPLICACIÓN ESTÁ TAN CERCA DE UN JARRO!

¡VAMOS, GALIÓN! ¡EMPEZASTE LA FIESTA TEMPRANO Y SE TE EMBOTÓ EL JUICIO! HAS APILADO AQUÍ TONELES LLENOS EN VEZ DE VACÍOS, A JUZGAR POR SU PESO.

¡SEGUID TRABAJANDO! ¡LOS BRAZOS OCIOSOS DE UN LEVANTACOPAS NADA, SABEN DE PESOS. ESTOS SON LOS QUE HAY QUE LLEVAR Y NO OTROS. ¡HACED LO QUE DIGO!

¡MUY BIEN, MUY BIEN! ¡TÚ SERÁS EL RESPONSABLE SI LA MANTEQUILLA DEL REY Y EL MEJOR VINO SON ECHADOS AL AGUA PARA DISFRUTE GRATUITO DE LOS HOMBRES DEL RÍO!

¡RUEDA, RUEDA, RUEDA, RUEDA, RUEDA, RUEDA BAJANDO AL AGUJERO! ¡LEVANTADLOS ALTOS QUE CAIGAN A PLOMO! ¡ABAJO VAN, CHOCANDO CON EL FONDO!

Fue en este momento cuando Bilbo descubrió de pronto cuál era el punto débil de su plan. Posiblemente lo habréis visto hace tiempo y os habréis reído, pero no creo que lo hubierais hecho, ni la mitad de bien en su lugar. Él no estaba en ningún barril, claro, ni había nadie que le metiera en uno de haber habido oportunidad.

¡El último barril iba rodando hacia la puerta! Desesperado y sin saber qué hacer, Bilbo se aferró al barril y fue empujado con él.

Salió del agua balbuceando y aga—rrándose a la madera como una rata, pero no pudo subirse encima de él. Estaba en un oscuro túnel, flotando en agua helada y solo, pues no podía contar con sus amigos al estar todos en los barriles.

POOOSHH

Oyó el crujido de la compuerta al alzarse y se vio en medio de una fluctuante y entrechocante masa de toneles y cubas, todos empujando juntos para pasar bajo la arcada y salir a las aguas del río.

¡ESPERO HABER CERRADO BIEN LAS TAPAS!

Bilbo aprovechó la oportunidad para trepar por el costado de su barril apoyándose firmemente contra otro. Subió arrastrándose como una rata ahogada y se tendió arriba, tratando de mantener el equilibrio.

Por fortuna, Bilbo era muy liviano y el barril grande y bastante deteriorado, de modo que había embarcado una pequeña cantidad de agua. Aun así, era como cabalgar sin brida ni estribos un poney panzudo que no quiere más que revolcarse por la hierba.

De este modo, el señor Bolsón llegó a un lugar donde los árboles raleaban a ambos lados. El río oscuro se ensanchó de pronto y se unió al curso principal del río del Bosque, que fluía precipitadamente desde los grandes portones del rey.

Allí había gente vigilando las riberas. Empujaron y movieron rápidamente los barriles con sus pértigas y los contaron y los ataron juntos y los dejaron allí hasta la mañana.

La brisa era fría pero mejor que el agua, y esperaba no caer rodando de repente cuando volvieran a moverse.

¡Pobres enanos! Bilbo no estaba ahora tan mal. Bajó deslizándose del barril y vadeó el río hasta la orilla. No se lo pensaría dos veces si tenía la oportunidad de poder cenar sin ser invitado. Le habían obligado a hacerlo demasiado tiempo y sabía muy bien lo que era tener verdadera hambre.

No hay necesidad de contaros mucho de sus aventuras en aquella noche, pues nos acercamos al final del viaje hacia el Este y llegando a la última y mayor aventura, así que debemos apresurarnos.

Muy pronto despertó cierta conmoción, pero Bilbo escapó por el bosque. Tuvo que pasar el resto de la noche mojado como estaba y lejos de un fuego, y hasta alcanzó a dormir algo sobre unas hojas secas aunque el año estaba avanzado y el aire era cortante.

Ayudado por su anillo mágico le fue muy bien al principio, pero al final se vio delatado por el sonido de sus pisadas y el rastro de gotas que dejaba por donde quiera que iba o se sentaba y solía encontrárse-sele por la terrorífica explosión de sus contenidos estornudos.

Había visto la luz de un fuego entre los árboles, y era una luz atrayente, ya que las ropas caladas y andra-josas se le pegaban frías y húmedas al cuerpo.

Despertó de nuevo con un estornudo especialmente sonoro. La mañana era gris y había un alegre alboroto en el río.

Estaban construyendo una almadía de barriles. Bilbo gateó hasta allí todo lo rápido que se lo permitieron sus entumecidas piernas y se las arregló para llegar justo a tiempo al grupo de toneles sin ser notado en la confusión general.

¡ES UNA CARGA PESADA! FLOTAN MUY BAJOS... ALGUNOS NO ESTÁN DEL TODO VACÍOS. SI HUBIE-SEN LLEGADO DE DÍA PODRÍAMOS HABER-LES ECHADO UN VISTAZO.

¡YA NO HAY TIEM-PO! ¡¡EMPU-JAD!

Y allá fueron por fin, lenta-mente al principio, y más y más rápido luego a me-dida que entraban en la co-rriente principal y navegaban alejándose en dirección al lago.

Habían escapado de las mazmorras del rey y atravesado el bosque, pero si vivos o muertos to-davía quedaba por verse.

El día se hacía más claro y cálido a medida que avanzaban flotando.

Tras cierto tiempo, el río rodeó un repecho de tierra que quedaba a la izquierda. Las corrientes más profundas acababan a sus rocosos pies lamiendo y burbujeando.

De pronto, el risco desapareció. Las orillas se hundieron. Los árboles se acabaron.

Entonces Bilbo lo vio.

¡La montaña asomaba a lo lejos, mostrando su oscura cima entre retazos de nubes! No se veían los picos vecinos más próximos del Noroeste y del valle que los unía. Se alzaba en solitario y miraba a los bosques por encima del pantano.

¡La montaña solitaria! Bilbo había ido muy lejos y pasado muchas aventuras para verla, y ahora no le gustaba nada.

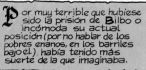

Por muy terrible que hubiese sido la prisión de **B**ilbo o incómoda su actual posición (por no hablar de los pobres enanos, en los barriles bajo él) había tenido más suerte de la que imaginaba.

El sendero elfo que habían seguido los enanos llegaba ahora a un inseguro e insólito final en el borde oriental del bosque; sólo el río era trayecto seguro desde el linde norte del **B**osque **N**egro hasta las planicies sombreadas por las montañas.

Todo cuanto sabía era que el río parecía seguir y seguir y que tenía hambre y un horroroso resfriado y que no le gustaba el modo en que la **M**ontaña parecía fruncir el ceño y amenazarle a medida que se acercaban.

Aquellas tierras habían cambiado mucho desde los días en que los enanos moraban bajo la montaña. **I**nundaciones y lluvias aumentaron el caudal al **E**ste y a ambos márgenes se habían formado pantanos y ciénagas.

Como veis, al final **B**ilbo había llegado por el único camino que era bueno. **P**ero **B**ilbo no lo sabía.

Pero al cabo de un rato, el río tomó un curso más meridional y la **M**ontaña retrocedió de nuevo.

El sol se había puesto ya cuando, tras otro recodo y un desvío al **E**ste, el **R**ío del **B**osque se precipitó en el **L**ago **L**argo.

¡El **L**ago **L**argo! **B**ilbo nunca imaginó que pudiese haber una extensión tan grande de agua, además del mar. **E**ra tan ancho que las márgenes opuestas se veían pequeñas y lejanas, y tan largo que no podía verse su extremo norte, el que apuntaba a la montaña.

No lejos de la boca del **R**ío del **B**osque se alzaba la extraña ciudad de la que oyó hablar a los elfos en la bodega del **R**ey. **N**o estaba emplazada en la orilla, sino en la superficie del lago. **Y** no era una ciudad de elfos sino de hombres, que todavía se atrevían a morar a la sombra de la distante montaña del dragón.

Todavía sacaban provecho del tráfico que venía del gran río, en el **S**ur, pero en los grandes días de antaño, cuando el **V**alle **N**orte era rico y próspero, habían sido hombres ricos y poderosos.

Pero los hombres poco recordaban de todo esto, aunque aún cantaban viejas canciones sobre los reyes enanos de la **M**ontaña y sobre la llegada del **D**ragón. **A**lgunos cantaban también que **T**hror y **T**hrain volverían un día y el oro fluiría a riadas por las compuertas de la **M**ontaña. **P**ero esta agradable leyenda no afectaba mucho sus asuntos cotidianos.

En cuanto la almadía de barriles apareció a la vista de los pilotes de la ciudad salieron unos botes, y unas voces saludaron a los conductores de la balsa y ésta fue arrastrada fuera de la corriente del río y amarrada no lejos de la cabecera del gran puente que unía playa y ciudad.

Pronto vendrían hombres del Sur y se llevarían algunos de los barriles, cargando otros con mercancías que traerían consigo para ser llevadas corriente arriba hasta la morada de los elfos. Hasta entonces los barriles se quedarían allí flotando mientras los elfos de la almadía y los barqueros iban a celebrarlo a la Ciudad del Lago.

Se hubieran sorprendido de haber visto lo que sucedió en la orilla una vez se fueron y cayó la noche.

BUENO, ¿ESTÁS VIVO O MUERTO? SI QUIERES COMIDA, Y SI QUIERES SEGUIR CON ESTA ESTÚPIDA AVENTURA —DESPUÉS DE TODO ES TUYA, Y NO MÍA— SERÁ MEJOR QUE TE DES PALMADAS Y TE FROTES LAS PIERNAS E INTENTES AYUDARME A SACAR A LOS DEMÁS MIENTRAS PODAMOS.

UNNHHHH

Por supuesto, Thorin vio la sensatez de esto, así que tras unos cuantos quejidos más se incorporó y ayudó al hobbit lo mejor que pudo. Descubrir en la oscuri— dad, y chapoteando en el agua fría, en qué barriles se hallaban los enanos fue un trabajo difícil y desagradable.

¡ESPERO NO VOLVER A OLER NUNCA EL OLOR DE LAS MANZANAS! ¡MI CUBA APESTABA A ÉL! OLER CONTINUAMENTE A MANZANAS CUANDO APENAS PUEDES MOVERTE Y ESTÁS HELADO Y ENFERMO POR EL HAMBRE RESULTA ENLOQUE— CEDOR. ¡AHORA PODRÍA COMER CUALQUIER COSA DEL MUNDO DURANTE HORAS Y HORAS, PERO NI UNA SOLA MAN— ZANA!

Dwalin y Balin fueron de los más desafortunados. Bifur y Bofur estaban más secos y menos magullados. Fíli y Kíli salieron más o menos sonrientes con sólo un cardenal o dos.

El pobre gordo Bombur estaba dormido, o incons— ciente, Dori, Nori, Ori, Oin y Gloin habían tragado mucha agua y estaban medio muertos; hubo que arrastrarlos uno a uno hasta la orilla.

¡BUENO! ¡AQUÍ ESTAMOS! Y SUPONGO QUE DEBEMOS AGRADECÉRSELO A NUESTRA BUENA FORTUNA Y AL SEÑOR BOLSÓN. TIENE DERECHO A ESPERARLO, AUNQUE DESEARÍA QUE HUBIESE ORGANIZADO UN VIAJE MÁS CÓMODO. PERO, UNA VEZ MÁS, ESTAMOS A SU SERVICIO, SEÑOR BOLSÓN. SIN DUDA NOS SENTIREMOS DEBIDAMENTE AGRADECIDOS UNA VEZ HAYAMOS COMIDO Y DESCANSADO.
¿QUÉ HACEMOS, MIENTRAS TANTO?

SUGIERO LA CIUDAD DEL LAGO. ¿QUÉ SINO?

Ninguna otra cosa, claro; así que, dejando a los demás, Thorin y Fili y Kili y el hobbit siguieron la orilla hasta el puente.

Había guardias a su cabecera, pero no mantenían una vigilancia muy estricta pues hacía mucho que no había real necesidad de ello. Por eso no es de extrañar que los guardias estuvieran bebiendo y riendo junto al fuego de su cabaña y no oyeran el ruido de los enanos al llegar.

¿QUIÉNES SOIS, Y QUÉ QUERÉIS?

¡THORIN HIJO DE THRAIN HIJO DE THROR REY BAJO LA MONTAÑA! HE VUELTO Y DESEO VER AL GOBERNADOR DE LA CIUDAD.

Hubo entonces un tremendo alboroto. Algunos de los más necios salieron corriendo como si esperaran que la Montaña se volviese de oro por la noche y las aguas del lago se tornaran amarillas en cualquier momento.

¿Y QUIÉNES SON ESOS?

¡ARROJAD LAS ARMAS SI VENÍS EN PAZ!

LOS HIJOS DE LA HIJA DE MI PADRE, FILI Y KILI DE LA RAZA DE DURIN, Y EL SEÑOR BOLSÓN QUE HA VIAJADO CON NOSOTROS DESDE EL OESTE.

Y era bastante cierto que los elfos del bosque les habían quitado los cuchillos y también la gran espada Orcrist.

NO TENEMOS.

Bilbo tenía su daga escondida como siempre, pero no dijo nada.

LOS QUE POR FIN RETORNAMOS A CASA, COMO SE ANUNCIÓ ANTAÑO, NO TENEMOS NECESIDAD DE ARMAS. NI PODRÍAMOS LUCHAR CONTRA TANTOS.

¡LLÉVANOS AL GOBERNADOR!

MÁS MOTIVO ENTONCES PARA QUE NOS LLEVES ANTE ÉL. ESTAMOS CANSADOS Y HAMBRIENTOS POR EL LARGO VIAJE Y TENEMOS CAMARADAS ENFERMOS.

ESTÁ EN UN BANQUETE.

APRESÚRATE AHORA Y NO HABLEMOS MÁS, O TU SEÑOR TENDRÁ ALGO QUE DECIRTE.

SEGUIDME PUES.

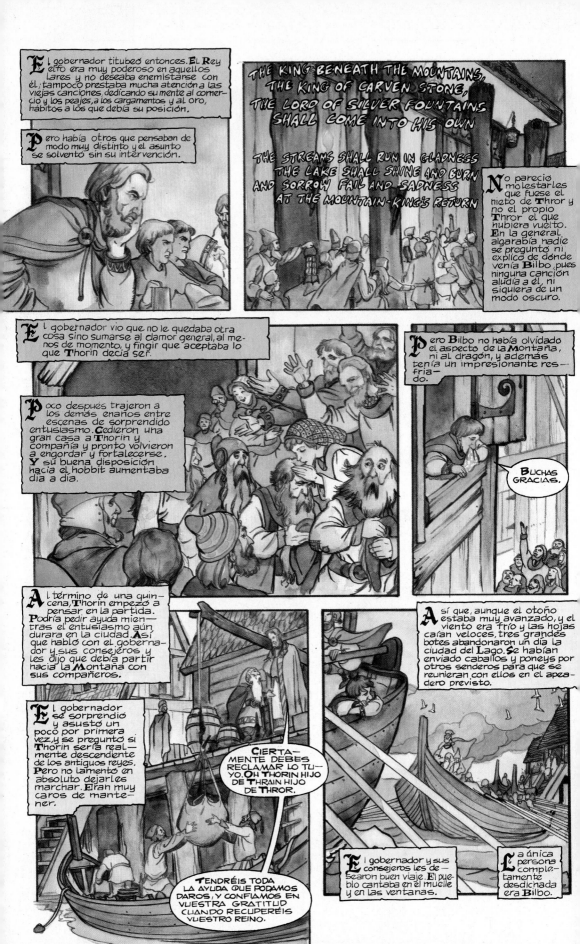

El gobernador titubeó entonces. El Rey elfo era muy poderoso en aquellos lares y no deseaba enemistarse con él; tampoco prestaba mucha atención a las viejas canciones, dedicando su mente al comercio y los peajes, a los cargamentos y al oro, hábitos a los que debía su posición.

Pero había otros que pensaban de modo muy distinto y el asunto se solventó sin su intervención.

THE KING BENEATH THE MOUNTAINS,
THE KING OF CARVEN STONE,
THE LORD OF SILVER FOUNTAINS
SHALL COME INTO HIS OWN

THE STREAMS SHALL RUN IN GLADNESS
THE LAKE SHALL SHINE AND BURN
AND SORROW FAIL AND SADNESS
AT THE MOUNTAIN-KING'S RETURN

No pareció molestarles que fuese el nieto de Thror y no el propio Thror el que hubiera vuelto. En la general algarabía nadie se preguntó ni explicó de dónde venía Bilbo, pues ninguna canción aludía a él, ni siquiera de un modo oscuro.

El gobernador vio que no le quedaba otra cosa sino sumarse al clamor general, al menos de momento, y fingir que aceptaba lo que Thorin decía ser.

Poco después trajeron a los demás enanos entre escenas de sorprendido entusiasmo. Cedieron una gran casa a Thorin y compañía y pronto volvieron a engordar y fortalecerse. Y su buena disposición hacia el hobbit aumentaba día a día.

Pero Bilbo no había olvidado el aspecto de la Montaña, ni al dragón, y además tenía un impresionante resfriado.

BUCHAS GRACIAS.

Al término de una quincena, Thorin empezó a pensar en la partida. Podría pedir ayuda mientras el entusiasmo aún durara en la ciudad. Así que habló con el gobernador y sus consejeros y les dijo que debía partir hacia la Montaña con sus compañeros.

El gobernador se sorprendió y asustó un poco por primera vez, y se preguntó si Thorin sería realmente descendiente de los antiguos reyes. Pero no lamentó en absoluto dejarles marchar. Eran muy caros de mantener.

CIERTAMENTE DEBES RECLAMAR LO TUYO. OH THORIN HIJO DE THRAIN HIJO DE THROR.

Así que, aunque el otoño estaba muy avanzado, y el viento era frío y las hojas caían veloces, tres grandes botes abandonaron un día la ciudad del Lago. Se habían enviado caballos y poneys por otros senderos para que se reunieran con ellos en el apeadero previsto.

El gobernador y sus consejeros les desearon buen viaje. El pueblo cantaba en el muelle y en las ventanas.

La única persona completamente desdichada era Bilbo.

TENDRÉIS TODA LA AYUDA QUE PODAMOS DAROS, Y CONFIAMOS EN VUESTRA GRATITUD CUANDO RECUPERÉIS VUESTRO REINO.

Remaron aguas arriba durante dos días antes de meterse en el **Río Rápido**. Al final del tercer día unos kilómetros río arriba se acercaron a la izquierda, u orilla oeste, y desembarcaron.

Cargaron los poneys con lo que pudieron y el resto se almacenó en una tienda, pero ninguno de los hombres de la ciudad quiso quedarse a pasar la noche con ellos tan cerca de la sombra de la Montaña.

Al día siguiente se pusieron en marcha. Fue una jornada agotadora, silenciosa y furtiva. Sabían que se acercaban al final de su viaje y que podía ser un final espantoso.

La tierra que les rodeaba era desértica y árida, aunque una vez según les dijo Thorin, había sido verde y hermosa. Habían llegado a la **Desolación del Dragón**, y habían llegado a finales del año.

A pesar de todo, alcanzaron la falda de la Montaña sin tropezar con ningún peligro ni otra señal del Dragón además del desierto que había rodeado su guarida. Acamparon por primera vez en el lado occidental de la gran estribación sur que terminaba en una colina llamada del **Cuervo**. Esta fue en el pasado un puesto de observación, pero no se atrevieron aún a subirla, pues estaba demasiado expuesta.

Antes de partir en busqueda de la **Puerta oculta**, en la que tenían puestas todas sus esperanzas, Thorin envió una partida de exploradores para vigilar las tierras del sur donde estaba la **Puerta Principal**.

ESO ES TODO LO QUE QUEDA DE VALLE. LAS LADERAS DE LA MONTAÑA ERAN VERDES POR LOS BOSQUES Y EL LUGAR ERA RICO Y AGRADABLE CUANDO LAS CAMPANAS REPICABAN EN ESA CIUDAD.

¡VOLVAMOS! ¡NADA PODEMOS HACER AQUÍ Y NO ME GUSTAN ESOS PAJAROS NEGROS! PARECEN ESPÍAS DEL MAL.

Balin había sido uno de los compañeros de Thorin en los días que apareció el dragón.

EL DRAGÓN SIGUE VIVO Y ESTÁ EN LOS SALONES BAJO LA MONTAÑA... O ESO SUPONGO POR EL HUMO.

ESO NO LO PRUEBA, AUNQUE NO DUDO QUE TIENES RAZÓN. PERO PODRÍA HABER SALIDO UN RATO Y SEGUIRÍAN SALIENDO HUMOS Y VAPORES POR LAS PUERTAS. LOS SALONES DEBEN ESTAR LLENOS DE SU FÉTIDO VAHO.

Con tan tenebrosos pensamientos, y seguidos siempre por los grajos que graznaban sobre ellos, deshicieron el fatigoso camino al campamento. En el mes de Junio habían sido huéspedes de la hermosa casa de Elrond, y aunque el otoño se encaminaba ya hacia el invierno aquellos momentos agradables parecían a años de distancia. Estaban al final de su viaje, pero parecían más lejos que nunca del final de su empresa.

A ninguno le quedaba mucho ánimo.

Quizá os extrañe oir que el señor Bolsón tenía más que los demás. De cuando en cuando cogía el mapa de Thorin y meditaba sobre las runas y las letras lunares que leyó Elrond.

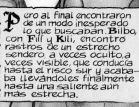

Trasladaron el campamento a la ladera occidental, donde había menos señales de los merodeantes pies del dragón y había algo de pasto para los poneys.

Desde este campamento, ensombrecido todo el día por riscos y muros hasta que el sol se hundía por el bosque, salían día tras día buscando senderos que subiesen por la montaña. Si el mapa no mentía, en alguna parte de la cima del risco debía estar la puerta secreta.

Pero al final encontraron de un modo inesperado lo que buscaban. Bilbo, con Fili y Kili, encontró rastros de un estrecho sendero a veces oculto, a veces visible, que conducía hasta el risco sur y acababa llevándoles finalmente hasta una saliente aún más estrecha.

Fue él quien hizo que los enanos empezaran la peligrosa búsqueda de la puerta secreta de la vertiente oeste.

Día tras día volvían sin éxito al campamento.

Mirando hacia abajo vieron que estaban en la cima del risco en la entrada del valle y que tenían su propio campamento abajo.

Entonces se abrió la pared y entraron en una pequeña nave de abruptas paredes y suelo de hierba, tranquila y silenciosa. La entrada no podía verse desde abajo porque el risco sobresalía, ni desde lejos pues era tan pequeña que no parecía más que una grieta oscura.

En su parte más interior se alzaba una pared tan lisa y recta que parecía obra de un albañil, pero no se veían junturas ni rendijas. Tampoco había señal alguna de postes, dinteles o umbrales, ni rastro de tranca pestillo, o cerradura, y, sin embargo, no había duda de que por fin habían encontrado la puerta.

La golpearon empujaron y cargaron contra ella, implorando que se moviera, recitaron trozos de encantamientos de aperturas y nada se movió.

Cuando se cansaron iniciaron el largo descenso.

abían traído picos y herramientas de muchas clases e intentaron utilizarlas. Pero cuando golpearon la piedra, los mangos se astillaron y sacudieron cruelmente sus brazos y las cabezas de acero se rompían o doblaban como el plomo.

ieron claramente que el trabajo de minería era inútil contra la magia que había cerrado la puerta y les aterrorizaron los ecos del ruido.

ilbo se descubrió sentado en el umbral, solo y aburrido. No había umbral, claro, pero así llamaban en broma al terreno con hierba que había entre la pared y la abertura, recordando las palabras de Bilbo en la inesperada fiesta del agujero hobbit hacía ya tanto tiempo.

quella noche hubo excitación en el campamento. Por la mañana, Bombur y Bofur se quedaron atrás para vigilar los poneys, mientras los demás subían por el sendero recién descubierto hasta la pequeña nave de hierba. Allí establecieron su tercer campamento, subiendo con cuerdas lo que necesitaban.

i los enanos le preguntaban qué hacía, él respondía "dijisteis que mi trabajo sería sentarme en el umbral y pensar, aparte de entrar, así que estoy sentado y pensando."

udieron bajar del mismo modo a algunos de los enanos más activos, como Kili, para intercambiar noticias o relevar a la guardia de abajo.

ero me temo que no pensaba mucho en el trabajo, sino en lo que había más allá de la azulada distancia, en las pacíficas tierras occidentales y la Colina y su agujero hobbit bajo ella.

MAÑANA EMPIEZA LA ÚLTIMA SEMANA DE OTOÑO.

Y DESPUÉS VENDRÁ EL INVIERNO.

Y LUEGO EL AÑO QUE VIENE, Y ANTES DE QUE AQUÍ PASE ALGO NUESTRAS BARBAS CRECERÁN HASTA COLGAR RISCO ABAJO HASTA EL VALLE. ¿QUÉ HACE NUESTRO LADRÓN POR NOSOTROS? COMO TIENE UN ANILLO INVISIBLE, Y YA DEBE SABER MANEJARLO MUY BIEN, EMPIEZO A PENSAR QUE DEBERÍA ENTRAR POR LA PUERTA PRINCIPAL Y RECONOCER UN POCO EL TERRENO.

YO ME QUEDO.

ESTOY DEMASIADO GORDO PARA ESOS PASEOS DE MOSCA Y LAS CUERDAS NO SOPORTARÍAN MI PESO.

¡SANTO CIELO! DE MODO QUE ESO ES LO QUE PIENSAN. SIEMPRE SOY YO EL QUE TIENE QUE SACARLOS DE SUS APUROS, AL MENOS DESDE QUE NOS DEJÓ EL MAGO. ¿QUÉ VOY A HACER?

omo veréis, no era cierto, afortunadamente para él.

KRAK

En una piedra gris en el centro de la hierba estaba un enorme zorzal. Había cogido un caracol y lo golpeaba contra la piedra.

KRAK KRAK

De pronto, Bilbo lo entendió.

Olvidando todo peligro, llamó a los enanos gritando y haciendo señas. Los que estaban más cerca llegaron tropezando con las piedras todo lo rápido que podían a lo largo de la repisa, preguntándose qué diablos pasaba.

Bilbo se explicó con rapidez y todos guardaron silencio.

El sol se hundió más y más y con él sus esperanzas. Se hundió en un cinturón de enrojecidas nubes y desapareció. Los enanos gruñeron pero Bilbo continuó inmóvil.

Entonces, cuando casi no tenían esperanzas, un rojo rayo de sol escapó como un dedo por una rasgadura en las nubes. Un destello de luz llegó directamente a la nave atravesando la abertura y tocando la lisa superficie de roca.

PIP PIP PIP

KRRAK

¡LA LLAVE! ¡LA LLAVE! ¡LA LLAVE DEL MAPA! ¡PRUÉBALA MIENTRAS AÚN HAY TIEMPO!

Lo mejor que puede decirse de los enanos es lo siguiente; pretendían pagar espléndidamente los servicios de Bilbo; le habían traído para que les hiciera un trabajo desagradable y no les importaba cómo lo llevase a cabo su pobre compañero siempre y cuando lo hiciera. Y habrían hecho todo lo posible por sacarle de apuros si se metía en ellos.

Así son las cosas; los enanos no son héroes sino gente calculadora con un buen concepto del valor del dinero. Algunos son ladinos y traicioneros y bastantes malos tipos; y otros no, siendo gente bastante decente como Thorin y compañía, si no se espera mucho de ellos.

Era un camino más fácil de lo que había esperado Bilbo. Ésta no era una entrada de trasgos ni una tosca cueva de elfos. Era un pasadizo hecho por enanos en la cumbre de su riqueza y habilidad.

Balin se detuvo donde todavía podía ver el tenue contorno de la puerta y, gracias a alguna peculiaridad acústica del túnel, oír el rumor de las voces que murmuraban afuera.

BUENA SUERTE, SEÑOR BOLSÓN.

Entonces el hobbit se puso el anillo, y advertido por los ecos de que necesitaría ser más precavido que un hobbit para no hacer ruido, bajó y bajó y bajo en silencio por la oscuridad. Temblaba de miedo, pero en su menuda cara se pintaba una expresión firme y resuelta. Ya era un hobbit muy diferente a aquel que mucho tiempo antes se marchó de Bolsón Cerrado sin un pañuelo.

POR FIN ESTÁS DENTRO Y AQUÍ VAS, BILBO BOLSÓN.

AQUELLA NOCHE EN LA FIESTA METISTE LA PATA JUSTO A TIEMPO. LOS TESOROS GUARDADOS POR DRAGONES NO ME INTERESAN, Y NO ME IMPORTARÍA QUE SE QUEDASEN AQUÍ PARA SIEMPRE SI AHORA ME DESPERTASE PARA VER QUE ESTE MALDITO TÚNEL ES EL DEL VESTÍBULO DE MI CASA.

¿ES ALGUNA CLASE DE LUZ LO QUE VEO ALLÁ ABAJO DELANTE MÍO?

Lo era, crecía y crecía a medida que avanzaba. Ahora también resultaba indudable que hacía calor en el túnel. Un sonido empezó a retumbarle en los oídos, un sonido que aumentó hasta convertirse en el gorgoteo inconfundible de algún animal roncando en sueños en el brillo rojizo que tenía ante él.

Fue en ese momento cuando Bilbo se detuvo. Continuar adelante fue lo más valiente que hizo en su vida. Las tremendas cosas que sucedieron después no fueron nada en comparación. La verdadera batalla la libró allí solo, en el túnel, antes de que viera el enorme peligro que le esperaba.

En todo caso, siguió adelante tras una breve pausa y llegó al final del túnel. Todo estaba casi oscuro pero un gran resplandor se alzaba en la parte cercana al suelo de piedra.

El resplandor de Smaug!

Decir que Bilbo se quedó sin aliento es como no decir nada. No hay palabras para expresar su asombro desde que los hombres cambiaron el lenguaje que aprendieron de los elfos en los días en que el mundo entero era maravilloso.

Bilbo había oído hablar y cantar sobre el tesoro del dragón, pero sin llegar a imaginar el esplendor la maravilla, la gloria de semejante tesoro.

Su corazón se vio inundado y atravesado por su hechizo y por un deseo de enanos y miró inmóvil al oro más allá de toda cuenta y medida, olvidando casi al temible guardián.

Miró durante lo que pareció una eternidad hasta que, atraído casi contra su voluntad, se movió por el lugar hacia el borde del más cercano de los montículos del tesoro. El dormido dragón yacía encima, terrible amenaza incluso en su sueño.

Tomó un gran copón de doble asa, el más pesado que podía cargar, y echó una temerosa mirada hacia arriba.

El ronquido de Smaug cambió de tono.

Entonces Bilbo corrió. Su corazón le saltaba y en sus piernas había un temblor más febril que cuando descendió.

¡Lo hice! ¡Así verán quién soy! ¡"Un tendero más que un ladrón"! No volverán a decírmelo!

Tampoco él. Los enanos estaban encantados de volver a ver al hobbit. Le alabaron y dieron palmadas en la espalda y se pusieron a su servicio ellos y sus familiares y las generaciones venideras.

Los enanos hablaban encantados de la recuperación de su tesoro, cuando un vasto rumor nació en las entrañas de la montaña como si fuera un viejo volcán que hubiese decidido volver a entrar en erupción, y por el largo túnel les llegó el temible eco de un bramido y un pesado caminar que les estremeció.

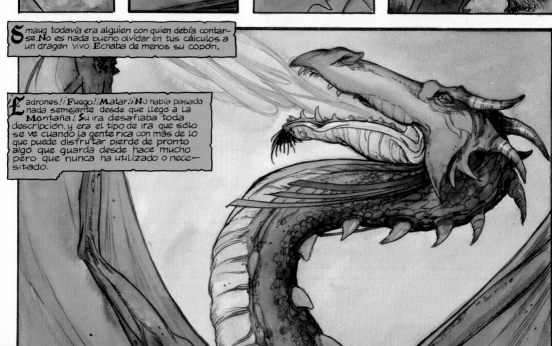

Smaug todavía era alguien con quien debía contarse. No es nada bueno olvidar en tus cálculos a un dragón vivo. Echaba de menos su copón.

¡Ladrones! ¡Fuego! ¡Matar! No había pasado nada semejante desde que llegó a la Montaña! Su ira desafiaba toda descripción, y era el tipo de ira que sólo se ve cuando la gente rica con más de lo que puede disfrutar pierde de pronto algo que guarda desde hace mucho pero que nunca ha utilizado o necesitado.

Quizá los dragones no tengan mucho uso para su riqueza, pero la conocen hasta la última onza, sobre todo tras una posesión tan larga, y Smaug no era ninguna excepción.

¡RÁPIDO! ¡RÁPIDO! ¡LA PUERTA! ¡EL TÚNEL! ¡NO ESTAMOS SEGUROS!

¡MIS PRIMOS BOMBUR Y BOFUR! LOS HEMOS OLVIDADO EN EL VALLE. LOS MATARÁ Y TAMBIÉN A LOS PONEYS, Y LO PERDEREMOS TODO. ¡NO PODEMOS HACER NADA!

Su único pensamiento fue explorar la montaña hasta encontrar al ladrón despedazarlo y pisotearlo.

¡TONTERÍAS! NO PODEMOS ABANDONARLOS. ¿DÓNDE ESTÁN LAS CUERDAS? ¡RÁPIDO!

Arriba llegó Bofur, y todo estaba seguro. Arriba llegó Bombur y todo seguía seguro. Arriba llegaron algunas herramientas y provisiones y el peligro estuvo sobre ellos.

Se oyó un chirriante sonido. Una luz roja tocó los picos de las rocas. El dragón apareció.

Apenas tuvieron tiempo de correr al túnel tirando y arrastrando de los hatillos.

Su cálido aliento arrasó la hierba ante la puerta y entró en la grieta, chamuscándoles en su escondite. Durante toda la noche oyeron el rugido del dragón volador. Les buscó en vano hasta que el alba enfrió su cólera. Smaug no olvidaría ni perdonaría el robo aunque mil años lo convirtieran en humeante piedra, pero no podía permitirse esa espera. Se arrastró lento y silencioso. de vuelta a su guarida y entrecerró los ojos.

¡SERÁ EL FIN DE NUESTROS ANIMALES! ¡A SMAUG NO SE LE ESCAPA NADA DE LO QUE SE VE!

¡AQUÍ ESTAMOS Y AQUÍ HABRÁ QUE QUEDARSE, A NO SER QUE ALGUIEN QUIERA ARRIESGARSE A CORRER HASTA EL RÍO CON SMAUG VIGILANDO!

El terror de los enanos ya había disminuido cuando llegó la mañana y debatieron mucho tiempo lo que debía hacerse.

¿QUÉ NOS PROPONES QUE HAGAMOS, SEÑOR BOLSÓN?

DE MOMENTO NO TENGO NI IDEA... SI TE REFIERES A LLEVARNOS EL TESORO, ESO DEPENDERÁ POR COMPLETO DE ALGÚN NUEVO GIRO DE LA FORTUNA Y DE DESHACERNOS DE SMAUG.

DESHACERSE DE DRAGONES, NO ESTÁ EN MI LÍNEA DE TRABAJO, PERO OS PROPONGO ALGO. TENGO MI ANILLO Y ENTRARÉ ESTE MEDIODÍA, CUANDO SMAUG ESTÉ ECHANDO LA SIESTA, Y VERÉ QUÉ HACE. QUIZÁ OCURRA ALGO.

"CADA GUSANO TIENE SU PUNTO DÉBIL", SOLÍA DECIR MI PADRE, AUNQUE NO ESTOY MUY SEGURO DE QUE FUESE POR EXPERIENCIA PROPIA.

Por supuesto, los enanos aceptaron la propuesta. Ya habían aprendido a respetar al pequeño Bilbo y ahora se había vuelto el jefe de la aventura y empezaba a tener ideas y planes propios.

EL VIEJO SMAUG ESTARÁ CANSADO Y DORMIDO. NO PODRÁ VERME NI OÍRME. ¡ÁNIMATE BILBO!

Había olvidado, o nunca había sabido, que los dragones tienen sentido del olfato. Y un detalle a tener en cuenta es que, cuando recelan algo, mantienen un ojo abierto para vigilar mientras duermen.

¡BUENO, LADRÓN! TE HUELO Y TE SIENTO, OIGO TU RESPIRAR. ¡ENTRA, VAMOS! ¡VEN A SERVIRTE, HAY MUCHO Y DE SOBRA!

¡NO, GRACIAS, OH SMAUG EL TREMENDO! NO VINE A POR PRESENTES. SÓLO DESEO PODER MIRARTE Y COMPROBAR SI ERES TAN GRANDE COMO CUENTAN LAS HISTORIAS. NO LAS CREÍA. EN VERDAD LAS CANCIONES Y RELATOS SE QUEDAN MUY CORTOS.

TIENES BUENOS MODALES PARA SER UN LADRÓN Y UN MENTIROSO.

PARECES FAMILIARIZADO CON MI NOMBRE, PERO NO RECUERDO HABERTE OLIDO ANTES. ¿PUEDO PREGUNTARTE QUIÉN ERES Y DE DÓNDE VIENES?

¡PUEDES, YA LO CREO! VENGO DE DEBAJO DE LA COLINA Y MI CAMINO ME CONDUJO BAJO LAS COLINAS Y SOBRE ELLAS. Y POR EL AIRE. SOY EL QUE CAMINA SIN SER VISTO. SOY EL GANADOR DEL ANILLO Y EL PORTADOR DE LA SUERTE Y EL CABALGA-BARRILES!

Esta es, por supuesto, la forma en que se habla a los dragones si no quieres revelar tu verdadero nombre (lo cual es juicioso) y no quieres enfurecerles negándoselo de plano (lo que también es muy juicioso). Ningún dragón puede resistirse a la fascinación de una charla de acertijos y a perder tiempo intentando comprenderlos.

¡MUY BIEN, CABALGABARRILES! PUEDE QUE TU MONTURA SE LLAME BARRILES Y PUEDE QUE NO. ¡TE DARÉ UN CONSEJO POR TU BIEN: NO TENGAS MÁS TRATOS CON ENANOS SI PUEDES EVITARLO!

¡ENANOS!

NO SÉ SI HAS PENSADO QUE AUNQUE PUDIERAS ROBARME EL ORO POCO A POCO...

Una fea sospecha empezó a germinar en la mente de Bilbo... ¿habían olvidado los enanos este importante detalle, o se habían reído todo este tiempo de él?

Tal es el efecto que tiene la charla de los dragones en los inexpertos.

PUEDO ASEGURARTE QUE EL ORO SÓLO FUE UNA OCURRENCIA POSTRERA. ¡VENIMOS SOBRE LA COLINA Y BAJO LA COLINA, EN OLA Y VIENTO, BUSCANDO VENGANZA!

¡VENGANZA! ¡VENGANZA! EL REY BAJO LA MONTAÑA ESTÁ MUERTO Y ¿DÓNDE ESTÁN LOS DESCEN-DIENTES QUE BUSCAN VENGANZA? DERRIBÉ A LOS GUERREROS DE ANTAÑO Y HOY NO QUEDA NADIE COMO ELLOS.

CONOZCO MEJOR QUE NADIE EL OLOR (Y EL SABOR) DE LOS ENANOS. ¡NO ME DIGAS QUE PUEDO COMERME UN PONEY QUE HA SIDO MONTADO POR UN ENA-NO Y NO SABERLO! SUPON-GO QUE TE PAGARÍAN UN BUEN PRECIO POR EL CO-PÓN QUE TE LLEVAS-TE ANOCHE.

...TE LLEVARÍA UNOS CIEN AÑOS Y NO TE LO PODRÍAS LLE-VAR MUY LEJOS.

¡MI ARMADURA ES COMO DIEZ ESCUDOS, MIS DIENTES SON ESPA-DAS, MIS GARRAS LANZAS, EL GOLPEAR DE MI COLA UN RAYO, MIS ALAS UN HURA-CÁN Y MI ALIENTO MUERTE!

TU INFORMACIÓN ESTÁ ANTICUADA. ¡MIRA!

ESTOY ACORAZADO POR ARRIBA Y POR DEBAJO CON ESCAMAS DE HIERRO Y DURAS GEMAS. NINGÚN ACERO PUEDE ATRAVESARME.

¿QUÉ DICES DE ESTO?

TENGO ENTENDIDO QUE LOS DRAGONES SON MÁS BLANDOS POR DEBAJO, SOBRE TODO EN LA PARTE DEL... ER, PECHO; PERO SIN DUDA UNO TAN FORTIFICADO YA HABRÁ PENSADO EN ESO.

¡DESLUMBRANTEMENTE MARAVILLOSO! ¡PERFECTO! ¡IMPECABLE! ¡ASOMBROSO!

BUENO, NO DEBO RETRASAR MÁS TU MAGNIFICENCIA NI PRIVARTE DE TU NECESITADO REPOSO. CAPTURAR A PONEYS DA TRABAJO, ¡Y TAMBIÉN A LADRONES!

Pero lo que Bilbo pensaba en su interior era: "¡Viejo tonto! Tienes un gran hueco sobre tu pecho izquierdo, tan desnudo como un caracol que sale de su concha!"

FROOOSHH

¡NUNCA TE RÍAS DE DRAGONES VIVOS, BILBO IMBÉCIL! TODAVÍA NO HAS TERMINADO ESTA AVENTURA.

La tarde se tornaba noche cuando salió afuera. Pero el hobbit estaba preocupado y molesto, y les costó sacarle alguna cosa.

¡MALDITO PÁJARO! PARECE QUE ESTÉ ESCUCHANDO Y NO ME GUSTA NADA SU ASPECTO.

¡DÉJALO! LOS ZORZALES SON BUENOS Y AMISTOSOS. LA ANTIGUA ESTIRPE A LA QUE PERTENECE ES UNA RAZA MÁGICA Y LONGEVA. LOS HOMBRES DEL VALLE ENTENDÍAN SU LENGUAJE Y LOS UTILIZABAN COMO MENSAJEROS.

BUENO, PUES LLEVARÁ LAS NOTICIAS A LA CIUDAD DEL LAGO SI ES LO QUE PRETENDE, AUNQUE NO CREO QUE QUEDE NADIE QUE SE OCUPE DE SU LENGUAJE.

¿POR QUÉ? ¿QUÉ HA PASADO?

ESTOY SEGURO DE QUE SABE QUE VINIMOS DE LA CIUDAD DEL LAGO Y QUE ALLÍ NOS AYUDARON; Y TENGO LA HORRIBLE SENSACIÓN QUE IRÁ PARA ALLÁ.

SI QUIERES MI OPINIÓN CREO QUE TE PORTASTE MUY BIEN. DESCUBRISTE ALGO MUY ÚTIL Y VOLVISTE CON VIDA. QUIZÁ SEA UNA SUERTE Y UNA BENDICIÓN CONOCER ESE HUECO DESNUDO EN EL CHALECO DE DIAMANTES DEL VIEJO GUSANO.

Y Bilbo les contó todo lo que pudo recordar.

El zorzal no dejó de escuchar mientras hablaban, hasta que, cuando las estrellas empezaron a asomar, extendió las alas y se alejó volando. Y todo el tiempo que hablaron Bilbo fue sintiéndose cada vez más inquieto y desdichado.

ESTOY SEGURO DE QUE AQUÍ NO ESTAMOS A SALVO. SMAUG PODRÍA SALIR EN CUALQUIER MOMENTO Y NUESTRA ÚNICA ESPERANZA ES ENTRAR EN EL TÚNEL Y CERRAR LA PUERTA.

Estaba tan inquieto que al final los enanos hicieron lo que decía, aunque retrasaron el cerrar la puerta... ...Parecía un plan desesperado, pues ninguno sabía la forma de abrirla de nuevo desde el interior.

Y no les gustaba la idea de verse encerrados en un lugar cuya única salida era a través de la guarida del dragón.

Pasaron largo rato sentados en el interior no lejos de la puerta entreabierta y continuaron hablando.

La conversación derivó entonces a las malvadas palabras del dragón acerca de los enanos, y Thorin dijo: "En cuanto a tu parte. Señor Bolsón, te aseguro que estamos más que agradecidos y que podrás elegir tu propia catorceava parte en cuanto tengamos algo que dividir...Y haremos por ti lo que podamos y cargaremos con nuestra parte del costo de transporte cuando llegue el momento.

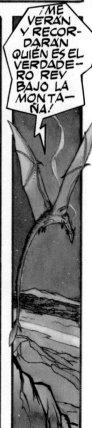

¡LA PIEDRA DEL ARCA! ¡ERA COMO UN ORBE DE MIL FACETAS QUE BRILLABA COMO PLATA A LA LUZ DEL FUEGO, COMO AGUA AL SOL, COMO NIEVE BAJO LAS ESTRELLAS, COMO LLUVIA BAJO LA LUNA!

Luego la conversación pasó al gran tesoro escondido, al gran copón dorado de Thror al collar de Girion señor del Valle, hecho con quinientas esmeraldas. Pero lo más hermoso de todo era la gran gema blanca que los enanos habían encontrado bajo las raíces de la Montaña, el Corazón de la Montaña, la Piedra del Arca de Thrain.

¡CERRAD LA PUERTA! EL MIEDO AL DRAGÓN ME ESTREMECE. CIERRA LA PUERTA ANTES DE QUE SEA TARDE.

Empujaron la puerta y la cerraron con un chasquido y un golpe. Ningún rastro de la cerradura se veía en el interior. ¡Estaban encerrados en la Montaña!

Y ni un instante de masiado pronto.

THOOM

Este fue el estallido de la cólera de Smaug cuando no pudo ver nada ni encontrar a nadie aunque sospechaba el lugar donde debía estar.

¡CABALGA-BARRILES! NO CONOZCO TU OLOR, PERO SI NO ERES UNO DE LOS HOMBRES DEL LAGO, RECIBISTE SU AYUDA.

¡ME VERÁN Y RECORDARÁN QUIÉN ES EL VERDADERO REY BAJO LA MONTAÑA!

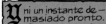

Mientras tanto, los enanos permanecían sentados en la oscuridad. No podían darse cuenta del paso del tiempo y apenas se atrevían a moverse. Al final de lo que parecían días y días de espera, cuando empezaban a asfixiarse y embotarse por la falta de aire, no pudieron soportarlo más.

¡PROBEMOS LA PUERTA! ¡O SIENTO EL VIENTO EN LA CARA O ME MORIRÉ!

¡CREO QUE PREFIERO SER APLASTADO POR SMAUG EN EL EXTERIOR A SOFOCARME AQUÍ!

Pero descubrieron que ni la llave ni la magia a la que obedeció antaño podría volver a abrir la puerta.

¡ESTAMOS ATRAPADOS! ES EL FIN. ¡MORIREMOS AQUÍ!

¡VAMOS, VAMOS! "MIENTRAS HAY VIDA HAY ESPERANZA" SOLÍA DECIR MI PADRE, Y "A LA TERCERA VA LA VENCIDA". VOY A VOLVER A BAJAR POR EL TÚNEL. LA ÚNICA SALIDA ES HACIA ABAJO, Y CREO QUE ESTA VEZ SERÁ MEJOR QUE ME ACOMPAÑÉIS.

Los enanos asintieron con desesperación y bajaron y aunque Bilbo se detenía de cuando en cuando a escuchar, ni un solo sonido se oyó.

ME PREGUNTO A QUÉ ESTARÁ JUGANDO SMAUG.

QUIZÁ PODAMOS ENCENDER UNA LUZ Y ECHAR UN VISTAZO ANTES DE QUE CAMBIE LA SUERTE.

Pero Bilbo no pudo convencer a los enanos para que se le unieran, pues, como explicó Thorin, el señor Bolsón seguía siendo su experto ladrón e investigador. Si quería arriesgarse a encender una luz era asunto suyo. Esperarían su informe en el túnel.

Así que se sentaron junto a la entrada y esperaron. De cuando en cuando mientras aún estaba cerca, captaban un brillo y un tintineo cuando tropezaba con alguna cosa dorada.

Entonces le vieron detenerse un momento pero no supieron el motivo.

Era la Piedra del Arca, el Corazón de la Montaña. Eso supuso Bilbo a juzgar por la descripción de Thorin; ni en semejante tesoro ni en el mundo entero podía haber dos gemas iguales.

¡AHORA SÍ QUE SOY UN LADRÓN! SUPONGO QUE DEBERÉ CONTÁRSELO A LOS ENANOS... ALGÚN DÍA. DIJERON QUE PODRÍA ELEGIR Y COGER MI PARTE, Y CREO QUE ELEGIRÍA ESTO Y QUE SE LLEVEN TODO LO DEMÁS.

De todos modos tenía la incómoda sensación de que el elegir y coger no incluía a esta maravillosa gema y que ello le traería dificultades.

Los fugaces destellos del tesoro que llegaban a los enanos reanimaron el fuego de sus corazones de enano, y cuando el corazón de un enano, aunque sea el más respetable de ellos, es despertado por el oro y las joyas, éste puede convertirse de pronto en alguien audaz e incluso violento.

Los enanos ya no necesitaban ser animados. Estaban ansiosos de explorar el salón mientras tuvieran la oportunidad y dispuestos a creer que, por el momento, Smaug no estaba en casa.

Recogían joyas y se rellenaban los bolsillos y lo que no podían llevar lo dejaban caer entre sus dedos con un suspiro. Thorin no era el menos activo de ellos, pero buscaba por todos lados algo que no encontraba. Era la Piedra del Arca, pero no se lo mencionó a nadie.

Ahora los enanos cogieron de los muros cotas de malla y armas y se armaron.

—¡Señor Bolsón! ¡Éste es el primer pago de tu recompensa! ¡Tira tu vieja cota y ponte ésta!

—Me siento magnífico, pero debo estar ridículo. ¡Cómo se reirían de mí en casa! ¡Ojalá hubiera un buen espejo a mano!

—¿Qué hacemos ahora, Thorin? Estamos armados pero ¿de qué nos sirve cualquier armadura contra Smaug el Terrible? Aún no hemos recuperado este tesoro. No buscamos oro sino un modo de escapar, y ya hemos tentado demasiado a la suerte.

—¡Dices la verdad! ¡Vámonos! Yo os guiaré. Ni en mil años olvidaré los caminos del palacio.

Subieron largas escaleras y torcieron y bajaron por pasillos anchos y resonantes y volvieron a torcer y subir por más y más escaleras y...

...¡Por fin! ¡Ante ellos se abrió la brillante luz del día!

—¡Bueno! Nunca esperé estar mirando hacia fuera desde esta puerta. Nada espere alegrarme tanto de volver a ver el sol, y sentir el viento en mi cara pero ¡ay! ¡qué viento más frío! Y no creo que la puerta principal de Smaug sea un lugar seguro...

—¡Vayámonos a donde podamos sentarnos un rato en silencio!

—¡Muy bien! Y creo que sé a dónde debemos ir; habría que ir al viejo puesto de vigilancia en el borde sudoeste de la montaña.

—¿Está muy lejos?

—A unas cinco horas de marcha, diría yo. Hay (o había) un sendero que deja el camino y conduce al puesto de la Colina del Cuervo. Será una dura escalada aunque todavía estén los viejos escalones.

—¡Señor! ¡Más caminatas y escaladas sin desayunar siquiera! Me pregunto cuántos desayunos y comidas me habré perdido en ese agujero sin relojes ni tiempo.

En realidad habían pasado dos noches y el día de enmedio (y no por completo sin comida) desde que el dragón destrozó la puerta mágica, pero Bilbo había perdido la cuenta, y en lo que a él competía podía haber pasado tanto una noche como una semana de noches.

—¡Vamos, vamos! ¡No llames espantoso agujero a mi casa! ¡Espera a que se haya limpiado y redecorado!

—Eso no será hasta que haya muerto Smaug. ¿Dónde estará ahora? Daría un buen desayuno por saberlo. ¡Espero que no esté en la cima de la montaña observándonos!

Se lanzó rugiendo sobre la ciudad. Una granizada de oscuras flechas se elevó y se rompió y repiqueteó en sus escamas y joyas y los dardos caldeados por su aliento cayeron al lago ardiendo y siseando.

La ira del dragón se avivó aún más con el tañir de los arcos y el toque de las trompetas hasta cegarlo y enloquecerlo.

Smaug se lanzó contra los puentes entre los chillidos y gemidos y gritos de los hombres y se vio engañado. El puente no estaba y sus enemigos estaban en una isla en aguas profundas... demasiado profundas y oscuras y frías para su gusto.

Hacía muchos siglos que nadie osaba enfrentarlo, y no hubieran osado entonces si el hombre de voz severa (Bardo era su nombre) no hubiera corrido de aquí para allá animando a los arqueros y pidiendo al gobernador que les ordenara luchar hasta la última flecha.

THOOOM

Los hombres ya saltaban al agua por todas partes. Mujeres y niños se amontonaban en botes de carga en la ensenada del mercado. El propio gobernador se dirigía hacia su gran barca dorada, esperando poder alejarse en la confusión y salvarse.

El fuego salió de las fauces del dragón. Este descendió de pronto atravesando la tormenta de flechas, temerario en su furia, sin preocuparse de volver sus costados escamosos hacia sus enemigos buscando sólo incendiar la ciudad.

Las llamas se elevaban en la noche. Otra pasada y otra, y otra casa y otra más se prendía fuego y caía; y ninguna flecha parecía alcanzar a Smaug o herirle más que una mosca de los pantanos.

Toda la ciudad quedaría pronto abandonada y calcinada hasta la superficie del lago.

Pero aún quedaba una compañía de arqueros que no cedía terreno entre las ardientes casas. Su capitán era Bardo, descendiente en línea directa de Girión Señor de Valle, cuya mujer e hijo huyeron del desastre por el Río Rápido.

¡Espera! ¡Espera! Está saliendo la luna. ¡Busca el hueco del pecho izquierdo cuando vuele y gire sobre ti!

¡Flecha! ¡Flecha negra! Te he reservado para el final. Nunca me has fallado y siempre te he recuperado. Te recibí de mi padre y el del suyo.

El gran arco vibró.

Había disparado todas sus flechas hasta que sólo le quedó una.

Era un viejo zorzal Bardo se maravilló al ver que podía comprender su lengua, pues pertenecía a la raza de Valle.

Si saliste de las forjas del verdadero Rey bajo la Montaña, vuela ahora, bien y veloz.

El dragón descendió de nuevo, más bajo que nunca y cuando giró para volver a bajar, su blanco vientre brilló a la luna con chispeantes fuegos de gemas, pero no en un punto.

La flecha negra voló veloz hacia el hueco del pecho izquierdo.

Cayó en medio de la ciudad. Sus últimos estertores la redujeron a chispas y resplandores. El lago rugió. Un inmenso vapor se elevó blanco a la repentina oscuridad de la luna.

Se hundió en él y desapareció, punta astil y pluma.

Con un chillido que ensordeció a hombres, derribó árboles y partió piedras, Smaug saltó en el aire y se precipitó a tierra desde las alturas.

Hubo un siseo, un gorgoteante remolino y luego silencio. Y éste fue el fin de Smaug y de Esgaroth, pero no de Bardo.

112

Bardo se alejó para ayudar en la instalación de los campamentos y en el cuidado de enfermos y heridos. Y dondequiera que iba encontraba que entre la gente, corrían como el fuego las habladurías sobre el vasto tesoro que ahora no estaba vigilado, y que eso les animaba grandemente en su pena.

Eso estaba bien, pues la noche fue amarga y triste. Pudieron prepararse refugios para pocos (el gobernador tuvo uno) y había poca comida (hasta el gobernador anduvo corto). Muchos enfermaron por la humedad, el frío y la pena, y después murieron.

En los días que siguieron hubo mucha enfermedad y una gran hambruna.

Mientras tanto, Bardo tomó el mando y ordenaba lo que se le antojaba, aunque siempre en nombre del gobernador. Seguramente la mayoría de la gente habría muerto en ese invierno que se apresuraba tras el otoño de no recibir alguna ayuda.

Pero pronto recibieron socorro, pues Bardo había enviado rápidamente mensajeros río arriba a pedir la ayuda del rey de los elfos del bosque, y estos mensajeros se encontraron con una partida ya en camino, aunque sólo era el tercer día desde el fin de Smaug.

El rey elfo había recibido noticias gracias a sus propios mensajeros y a los pájaros que eran amigos de su gente y ya sabían mucho de lo sucedido. Grande en verdad había sido la conmoción entre todas las cosas con alas que moraban en los confines de la Desolación del Dragón.

Hasta más allá del Bosque Negro se había extendido la voz: "¡Smaug ha muerto!" Incluso antes de que el rey elfo se pusiera en camino, ya habían llegado las nuevas al oeste, a los pinares de las Montañas Nubladas; Bœorn las oyó en su casa de madera y los trasgos en conciliábulo en sus cuevas.

Pero el rey, cuando recibió la súplica del Bardo sintió piedad, así que desvió su camino, que al principio era hacia la Montaña—pues tampoco había olvidado la leyenda de la riqueza de Thror—y se apresuró ahora río abajo hasta el Lago Largo. No tenía botes ni almadías suficientes para sus huestes, pero envió aguas abajo grandes cantidades de víveres.

Llegaron a las costas y vieron las ruinas de la ciudad sólo cinco días después de la muerte del dragón. El gobernador estaba dispuesto a hacer cualquier clase de pacto a cambio de la ayuda del rey.

Pronto se ultimaron planes. El gobernador se quedaría atrás con algunos artesanos y muchos elfos habilidosos para afanarse en talar árboles y construir chozas de cara al inminente invierno.

Pero todos los hombres de armas que aún se tenían en pie y la mayoría de los elfos se dispusieron a marchar a la Montaña. Y fue así como el undécimo día después de la destrucción de la ciudad, la vanguardia de sus huestes cruzó las puertas de piedra del extremo del lago y entró en las tierras desoladas.

PASA ALGO EXTRAÑO. YA HA PASADO EL TIEMPO DE LAS MIGRACIONES OTOÑALES, Y ESTOS PÁJAROS SIEMPRE MORAN EN TIERRA. HAY ESTORNINOS Y BANDADAS DE PINZONES Y, ALLÁ A LO LEJOS, AVES CARROÑERAS COMO SI SE LIBRARA UNA BATALLA.

¡AHÍ ESTÁ OTRA VEZ EL VIEJO ZORZAL! ¡PARECE HABER ESCAPADO CUANDO SMAUG ATACÓ LA LADERA!

CREO QUE INTENTA DECIRNOS ALGO. ¡OJALÁ FUESE UN CUERVO!

PIP PIP
PIP PIP PIP

¡PENSABA QUE NO TE GUSTABAN! ¡PARECÍAS RECELAR DE ELLOS LA VEZ QUE VINIMOS POR AQUÍ!

PIP PIP PIP

¡AQUELLOS ERAN GRAJOS! UNAS CRIATURAS DESAGRADABLES Y SOSPECHOSAS ADEMÁS DE MALEDUCADAS. LOS CUERVOS SON DISTINTOS. SOLÍA HABER UNA GRAN AMISTAD ENTRE ELLOS Y EL PUEBLO DE THROR, Y SOLÍAN TRAER NOTICIAS SECRETAS.

ESTA COLINA SE LLAMA DEL CUERVO PORQUE AQUÍ VIVIÓ UNA FAMOSA PAREJA, EL VIEJO CARC Y SU MUJER. PERO NO CREO QUE EN ESTOS SITIOS QUEDE NINGUNO DE SU LINAJE.

PUEDE QUE NO LE COMPRENDAMOS, PERO ÉL NOS COMPRENDE A NOSOTROS ESTOY SEGURO. ¡OBSERVEMOS Y VEAMOS QUÉ PASA AHORA!

PIP PIP
PIP PIP PIP

No mucho después se oyó un agitar de alas y volvió el zorzal, y, con él, un viejo pájaro decrépito.

OH THORIN HIJO DE THRAIN, Y BALIN HIJO DE FUNDIN, SOY ROÄC HIJO DE CARC. CARC, AL QUE CONOCISTE BIEN EN EL PASADO, HA MUERTO. AHORA YO SOY EL JEFE DE LOS GRANDES CUERVOS DE LA MONTAÑA.

¡MIRAD! LOS PÁJAROS VUELVEN A REUNIRSE EN LA MONTAÑA Y EN EL VALLE, AL SUR Y AL ESTE Y AL OESTE, PUES CORRE LA VOZ DE QUE SMAUG HA MUERTO.

¿MUERTO?
¡MUERTO!
¡MUERTO!

SÍ, MUERTO. EL ZORZAL, QUE NUNCA SE LE CAIGAN LAS PLUMAS, LE VIO MORIR Y PUEDE CONFIARSE EN SU PALABRA. PUEDES VOLVER SEGURO A TUS SALONES; EL TESORO ES TUYO... DE MOMENTO.

PUES MUCHOS VIENEN A REUNIRSE AQUÍ ADEMÁS DE LOS PÁJAROS. HAY UN EJÉRCITO DE ELFOS EN CAMINO, ACOMPAÑADOS DE AVES CARROÑERAS QUE ESPERAN BATALLAS Y MATANZAS.

LOS HOMBRES DEL LAGO MURMURAN QUE SU DESGRACIA ES CULPA DE LOS ENANOS; PUES NO TIENEN HOGARES Y MUCHOS HAN MUERTO Y SMAUG DESTRUYÓ SU CIUDAD. PIENSAN REPARAR DAÑOS CON VUESTRO TESORO, YA ESTÉIS VIVOS O MUERTOS.

¡ENTONCES HEMOS PASADO MIEDO SIN NECESIDAD Y EL TESORO ES NUESTRO!

TRECE ES UN PEQUEÑO RESTO DEL GRAN PUEBLO DE DURIN QUE MORÓ AQUÍ ANTAÑO. SI QUIERES MI CONSEJO, NO CONFÍES EN EL GOBERNANTE DE LOS HOMBRES DEL LAGO, SINO EN QUIEN MATÓ AL DRAGÓN CON SU ARCO.

VOLVEREMOS A VER PAZ ENTRE HOMBRES, ENANOS Y ELFOS DESPUÉS DE LA LARGA DESOLACIÓN; PERO OS COSTARÁ MUCHO EN ORO. HE DICHO.

NUESTRO AGRADECIMIENTO, ROÄC HIJO DE CARC, NI TU PUEBLO NI TÚ SERÉIS OLVIDADOS. PERO, MIENTRAS SIGAMOS CON VIDA, NUESTRO ORO NO SERÁ ROBADO POR LADRONES NI COGIDO POR VIOLENTOS.

NO DIRÉ SI ESTA PETICIÓN ES BUENA O MALA, PERO HARÉ LO QUE PUEDA HACERSE.

¡AHORA VUELVE A LA MONTAÑA! ¡NO HAY TIEMPO QUE PERDER!

TAMBIÉN QUIERO PEDIRTE QUE ENVÍES MENSAJEROS A MI PRIMO DAIN EN LAS COLINAS DE HIERRO, PUES TIENE MUCHOS HOMBRES BIEN ARMADOS Y VIVE CERCA DE ESTE LUGAR. ¡DILES QUE SE APRESUREN!

Como ya estáis enterados de algunos de los acontecimientos, sabréis que los enanos disponían de algunos días. Así que empezaron a trabajar duro en fortificar la entrada principal. Encontraron herramientas en abundancia, y los enanos estaban muy dotados para ese trabajo.

A medida que trabajaban recibían constantemente noticias de los cuervos. De este modo supieron que el rey elfo se volvió en el lago y que les quedaba más tiempo aún.

A los cuatro días supieron que los ejércitos conjuntos de los hombres del lago y de los elfos se dirigían a la Montaña. Pero ahora tenían más esperanzas, pues, racionándola, disponían de comida para varias semanas. La mayoría era cram, claro, y estaban muy hartos de ella, pero cram es mejor que nada, y ya tenían bloqueada la entrada con un muro de piedras regulares sin cemento, pero muy grueso y alto que tapaba la abertura.

Y llegó una noche en que lejos hacia el sur, en Valle aparecieron de pronto muchas luces, como de fuegos y antorchas.

¡HAN LLEGADO! Y SU CAMPAMENTO ES MUY GRANDE. DEBEN HABER ENTRADO EN EL VALLE POR LAS DOS ORILLAS DEL RÍO, AMPARÁNDOSE EN EL CREPÚSCULO.

Aquella noche los enanos durmieron poco.

La mañana todavía era pálida cuando vieron acercarse a una compañía. Pronto pudieron ver que entre ellos había hombres del lago armados para la guerra y arqueros elfos.

¿QUIÉNES SOIS QUE VENÍS ARMADOS PARA LA GUERRA A LAS PUERTAS DE THORIN HIJO DE THRAIN, REY BAJO LA MONTAÑA, Y QUÉ DESEÁIS?

¡SALUD, THORIN! NOS ALEGRAMOS DE VERTE VIVO, MÁS ALLÁ DE NUESTRAS ESPERANZAS. SOY BARDO, Y MI MANO MATÓ AL DRAGÓN Y LIBERÓ TU TESORO.

ADEMÁS SOY EL LEGÍTIMO HEREDERO DE GIRIÓN DE VALLE Y EN TU TESORO HAY MEZCLADA MUCHA DE LAS RIQUEZAS DE SUS SALONES Y CIUDADES, ROBADAS POR EL VIEJO SMAUG. ¿NO ES ASUNTO DEL QUE DEBAMOS HA-BLAR?

Y MÁS AÚN, EN SU ÚLTIMA BATALLA SMAUG DESTRUYÓ LAS MORADAS DE LOS HOMBRES DE ESGAROTH, Y TODAVÍA SOY SERVIDOR DE SU GOBERNADOR. HABLARÉ POR ÉL Y TE PREGUNTARÉ SI NO HAS PENSADO EN LA PENA Y DESGRACIA DE SU PUEBLO. TE AYUDARON EN TUS PRO-BLEMAS, Y COMO RECOM-PENSA SÓLO LES HAS TRAÍDO RUINA, AUNQUE FUESE INVOLUN-TARIA.

Eran palabras hermosas y justas, aunque dichas con orgullo y voz enoja-da; y Bilbo pensó que Thorin admitiría ense-guida la justicia que había en ellas. Pero no contó con el poder del oro cuidado por un dragón durante tanto tiempo, ni con los cora-zones de los enanos.

NINGÚN HOMBRE TIENE DERECHO AL TESORO DE MI PUEBLO, PORQUE SMAUG, QUE NOS LO ROBÓ, TAMBIÉN ROBÓ SU VIDA Y SU HOGAR. EL ORO NO ERA SUYO Y SUS ACTOS MALVADOS NO PUEDEN REPARAR-SE CON UNA PARTE DE ÉL. EN SU DEBIDO MOMENTO PAGA-REMOS CON LARGUEZA LAS MERCANCÍAS Y LA AYUDA RECIBIDA DE LOS HOM-BRES DEL LAGO.

PERO BAJO AME-NAZA O POR LA FUERZA NADA HAREMOS, NI SIQUIERA EL PRECIO DE UNA HOGAZA DE PAN, NI PARLAMENTARÉ CON LOS SÚBDITOS DEL REY ELFO, A QUIEN RECUERDO CON ESCASA SIMPATÍA. NO TIENEN LUGAR EN ESTE DEBATE. ¡MÁR-CHATE AHORA ANTES DE QUE VUELEN NUES-TRAS FLECHAS!

EL REY ELFO ES MI AMIGO, Y HA SOCORRIDO EN SU NECESIDAD A LOS HOMBRES DEL LAGO, MOVIDO SÓLO POR AMISTAD YA QUE NO TENÍA OBLIGA-CIÓN.

TE DARE-MOS TIEMPO PARA ARREPENTIRTE DE TUS PALABRAS. ¡RE-COBRA LA SABIDU-RÍA ANTES DE QUE VOLVAMOS!

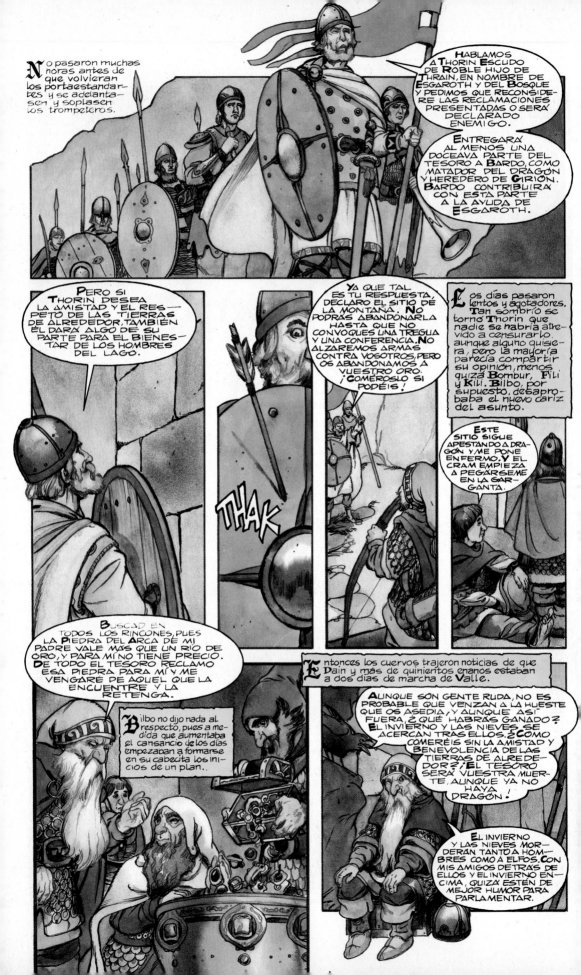

Esa noche Bilbo tomó una decisión.

¡QUÉ FRÍO TAN HORRORO- SO! ¡OJALÁ PUDIÉ- RAMOS ENCENDER AQUÍ UN FUEGO COMO ELLOS EN SU CAMPAMEN- TO!

DENTRO HACE BASTANTE CALOR. HACE YA MUCHO QUE FUE MI TURNO DE CENTINELA, PERO HARÉ EL TUYO SI QUIERES. ESTA NOCHE NO TENGO SUEÑO.

ERES UN BUEN AMIGO, SEÑOR BOLSÓN, Y ACEPTO TU OFERTA CON GUSTO. SI SUCEDE ALGUNA COSA, AVÍSAME A MÍ PRIMERO, ¡NO LO OL- VIDES!

¡VETE YA! TE DESPERTARÉ A MEDIANOCHE PARA QUE AVISES AL SIGUIENTE CENTINELA.

SOY EL SEÑOR BILBO BOLSÓN, COMPAÑERO DE THORIN, POR SI QUERÉIS SABERLO. CONOZCO DE VISTA A VUESTRO REY, AUNQUE QUI- ZÁ ÉL NO ME RECONOZCA. PERO BARDO ME RECORDARÁ Y ES A BARDO AL QUE QUIERO VER.

Y SI DESEÁIS SALIR ALGUNA VEZ DE ESTE LUGAR FRÍO Y SOMBRÍO Y REGRESAR A VUESTROS BOSQUES, ME DEJARÉIS HABLAR LO ANTES POSIBLE CON VUESTROS JEFES. SÓLO DISPONGO DE UNA HORA O DOS.

En cuanto Bombur se marchó, Bilbo se puso el anillo, bajó por el muro y se fue. Tenía cinco horas por delante. Bombur dormiría y los demás estaban ocupados con Thorin.

Estaba muy oscuro. Por fin llegó al recodo por el que tenía que cruzar el río y llegar al campamento como deseaba. Casi había cruzado cuando perdió pie sobre una piedra redonda y cayó al agua fría.

¡ESO NO FUE UN PEZ! ¡ES UN ESPÍA! ¡TAPAD LAS LUCES!

¡SI SE TRATA DE ESA PEQUEÑA CRIATURA QUE SE DICE QUE ES SU CRIADO, LE AYUDARÁN MÁS A ÉL QUE A NOSOTROS!

¡CRIA- DO, EN VERDAD! ¡ENCENDED UNA LUZ, QUE ESTOY AQUÍ POR SI ME QUERÉIS!

¿QUIÉN ERES TÚ? ¿ERES EL HOBBIT DE LOS ENANOS? ¿QUÉ HACES?

A cosa del mediodía, volvieron a verse los estandartes del Bosque y del Lago.

¡SALUD, THORIN! ¿NO HAS CAMBIADO AÚN DE OPINIÓN?

MIS OPINIONES NO CAMBIAN CON LA SALIDA Y LA PUESTA DE POCOS SOLES? ¿VENÍS A HACERME PREGUNTAS OCIOSAS? ¡AÚN NO SE HA RETIRADO LA HUESTE DE ELFOS COMO PEDÍ! HASTA ENTONCES VENDRÁS EN VANO A NEGOCIAR CONMIGO.

¿NO HAY NADA POR LO QUE CEDERÍAS UNA PARTE DEL ORO?

¿QUÉ DICES DE LA PIEDRA DEL ARCA DE THRAIN?

ESA PIEDRA PERTENECIÓ A MI PADRE, Y ES MÍA, ¿Y POR QUÉ DEBERÍA COMPRAR LO QUE ES MÍO?

¿Y CÓMO HABÉIS OBTENIDO ESA RELIQUIA DE MI CASA, SI ES QUE NECESITO HACER ESA PREGUNTA A UNOS LADRONES?

¡YO SE LA DI!

¡TÚ! ¡TÚ! ¡MISERABLE HOBBIT! ¡LADRONZUELO MINÚSCULO! ¡POR LA BARBA DE DURIN, OJALÁ ESTUVIESE AQUÍ GANDALF! ¡MALDITO SEA POR HABERTE ELEGIDO! ¡QUE SE LE MARCHITE LA BARBA! ¡EN CUANTO A TI, TE ARROJARÉ CONTRA LAS ROCAS!

¡QUIETO! ¡TU DESEO SE HA CUMPLIDO!

¡AQUÍ ESTÁ GANDALF! Y PARECE QUE NO DEMASIADO PRONTO. SI NO TE GUSTA MI LADRÓN HAZ EL FAVOR DE NO DAÑARLO. BÁJALO Y ESCUCHA ANTES LO QUE TIENE QUE DECIR.

¡VÁLGAME! ¡VÁLGAME! ¿QUIZÁ RECUERDES HABER DICHO QUE PODÍA ELEGIR MI CATORCEAVA PARTE? QUIZÁ ME LO TOMÉ DEMASIADO LITERALMENTE, PERO EN TODO CASO, HUBO UN TIEMPO EN QUE PARECÍAS CONSIDERARME DE ALGUNA UTILIDAD. CONSIDERA QUE HE DISPUESTO YA DE MI PARTE COMO DESEABA Y DEJÉMOSLO ASÍ.

LO HARÉ.

EN CUANTO A LA PIEDRA DEL ARCA, DARÉ POR ELLA LA CATORCEAVA PARTE DEL BOTÍN EN ORO Y PLATA, MAS ESO CONTARÁ COMO LA PARTE PROMETIDA A ESTE TRAIDOR Y PODRÉIS DIVIDIRLA COMO QUERÁIS.

¡FUERA! LLEVAS CONTIGO UNA COTA DE ACERO PLATEADO QUE LOS ELFOS LLAMAN MITHRIL, Y QUE ES DEMASIADO BUENA PARA TI. ¡NO PUEDE SER ATRAVESADA POR FLECHA ALGUNA, PERO SI NO TE APRESURAS TE PINCHARÉ TUS MISERABLES PIES!

¿QUÉ HAY DEL ORO Y LA PLATA?

ESO SEGUIRÁ EN CUANTO SEA POSIBLE.

GUARDAREMOS LA PIEDRA HASTA ENTONCES. VOLVEREMOS MAÑANA AL MEDIODÍA Y VEREMOS SI HAS TRAÍDO LA PARTE DEL BOTÍN QUE DEBE CAMBIARSE POR LA PIEDRA. SI SE HACE SIN ENGAÑOS PARTIREMOS.

NO ESTÁS HACIENDO UN PAPEL MUY ESPLÉNDIDO COMO REY BAJO LA MONTAÑA. PERO LAS COSAS TODAVÍA PUEDEN CAMBIAR.

Pasó aquel día y también la noche. Y todavía era temprana la siguiente mañana cuando se oyó un grito en el campamento.

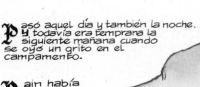

Dain había llegado.

Thorin había enviado mensajeros con Roäc, contándole a Dain lo que sucedió el día anterior. Y Dain se apresuró esa noche, llegando antes de lo esperado.

Nos envía Dain hijo de Nain. Corrimos a unirnos a los nuestros en la montaña en cuanto nos enteramos de que se renovaba el reino de antaño. Pero ¿quiénes sois vosotros que acampáis en el llano como enemigos ante defendidas murallas?

Querían avanzar entre la montaña y el recodo del río, pues el estrecho terreno de allí no parecía muy defendido.

Por supuesto, Bardo se negó a permitir que los enanos continuaran hasta la Montaña. Estaba decidido a esperar a que el oro y la plata se cambiara por la Piedra del Arca. Los enanos traían consigo una gran provisión de víveres y podrían resistir el asedio durante semanas, y para entonces quizá llegasen más enanos.

Así que, tras unas duras palabras, se retiraron los enanos mensajeros murmurando para sus barbas.

Bardo envió enseguida unos mensajeros a la Puerta, pero no encontraron oro o pago alguno. En cuanto estuvieron a tiro les llovieron flechas.

Ahora todo estaba en pie en el campamento, preparándose para la batalla, pues los enanos de Dain avanzaban por la orilla occidental.

¡Estúpidos! No comprenden la guerra sobre tierra, por mucho que sepan de combatir en las minas. Caeremos sobre ellos por los flancos antes de que hayan descansado.

Mucho me demoraré en empezar esta batalla por oro. Esperemos algo que nos traiga la reconciliación. Nuestra ventaja numérica debería bastar, si al final llegamos al triste combate.

Pero el rey elfo hablaba sin contar con los enanos. Les consumía la mente saber que la Piedra del Arca estaba en manos de los sitiadores.

Repentinamente sin aviso se lanzaron al ataque.

Pero, más repentinamente aún, una oscuridad cayó sobre ellos con aterradora rapidez; pero no venía con el viento, sino del Norte, como una enorme nube de pájaros, tan densa que ninguna luz podía verse entre sus alas.

¡ALTO!

¡EL TERROR HA CAÍDO SOBRE VOSOTROS! ¡LOS TRASGOS CAEN SOBRE VOSOTROS! ¡SE ACERCA BOLGO DEL NORTE! LOS MURCIÉLAGOS SE CIERNEN SOBRE SU EJÉRCITO COMO UN MAR DE LANGOSTAS; ¡CABALGAN SOBRE LOBOS Y LES SIGUEN LOS WARGOS! ¡VENID!

¡VENID! AÚN HAY TIEMPO DE CELEBRAR CONSEJO. ¡QUE DAIN HIJO DE NAIN SE REÚNA PRONTO CON NOSOTROS!

Así empezó una batalla que nadie había esperado; y fue llamada la Batalla de los Cinco Ejércitos, y fue terrible. En un bando estaban los trasgos y los salvajes lobos y en el otro había elfos y hombres y enanos.

Desde la caída del Gran Trasgo de las Montañas Nubladas, el odio que su raza sentía hacia los enanos se había avivado hasta llegar a la furia. Se enviaron mensajeros entre sus ciudades, colonias y fortalezas, pues habían decidido obtener el dominio del Norte.

Entonces supieron de la muerte de Smaug, y la alegría llenó sus corazones; y se apresuraron noche tras noche en atravesar las montañas y así llegaron finalmente al norte pisándole los talones a Dain.

La única esperanza del Consejo era atraer a los trasgos al valle entre los brazos de la montaña; y ampararse en las grandes estribaciones del sur y el este.

Los elfos se apostaron en las estribaciones del sur.

En la del este había hombres y enanos.

La vanguardia se arremolinó al final de la estribación y entraron apresuradamente en Valle. Muchos hombres valientes cayeron antes de que pudieran retirarse todos y acudir a cualquiera de los lados.

Los estandartes trasgos eran incontables, negros y rojos y llegaron como una marea furiosa y desordenada.

Aun así sería peligroso si había trasgos en suficiente número como para invadir la Montaña y atacarles por detrás y por arriba.

Fue una batalla terrible.

Bilbo se puso el anillo apenas empezó todo y desapareció de la vista, aunque no de todo peligro. Un anillo mágico de ese tipo no detiene flechas voladoras ni lanzas perdidas, pero impide que tu cabeza sea especialmente elegida como blanco de un espadachín trasgo.

Los elfos fueron los primeros en cargar. Su odio por los trasgos es amargo y frío. Lanzaron contra sus enemigos una lluvia de flechas y todas resplandecían como si llevaran fuego. Un millar de lanceros saltó y cargó tras las flechas. Las rocas se tiñeron negras con sangre de trasgo.

Cuando los trasgos se recobraban del asalto y se detuvo la embestida de los elfos, en todo el valle se alzó un ronco rugido. Los enanos de las Colinas de Hierro atacaban enarbolando sus azadones y con gritos de "¡Moria!" y "Dain, Dain!" y junto a ellos llegaban los hombres del lago empuñando largas espadas.

El pánico dominó a los trasgos y cuando se volvieron para enfrentar este nuevo ataque, los elfos volvieron a cargar en renovado número. La victoria parecía próxima cuando un grito sonó en las alturas.

Los trasgos habían escalado la Montaña por el otro lado y ya había muchos en las laderas sobre la Puerta, y otros corrían temerariamente a atacar las estribaciones desde arriba. Desapareció la esperanza de victoria. Sólo habían contenido la primera oleada de la negra marea.

El día continuó. Los trasgos se reunieron en el valle. Llegó una horda de wargos y con ella la guardia personal de Bolgo. Bardo luchaba defendiendo la estribación oriental pero cedía terreno poco a poco, y los señores elfos protegían a su rey en el brazo sur, cerca de la Colina del Cuervo.

De pronto se oyó un gran clamor y de la Puerta llamó una trompeta.

¡**H**abían olvidado a **T**horin!

¡A MÍ!
¡A MÍ, ELFOS
Y HOMBRES!
¡A MÍ, OH
PUEBLO
MÍO!

Una vez más quedaron atrapados los trasgos en el valle y allí se amontonaron hasta que **V**alle quedo oscuro y repugnante por sus cadáveres. Los wargos se dispersaron y **T**horin se fue derecho contra la guardia personal de Borgo.

Pero no pudo atravesar sus filas.

Cuanto más despejado quedaba el valle más lenta se hacía su acometida. Sus hombres eran demasiado pocos, sus flancos estaban desprotegidos. Pronto los atacantes fueron atacados y cercados por trasgos y lobos que volvían al asalto. La guardia de Bolgo les atacó aullando introduciéndose entre sus sus filas como ola en acantilados de arena.

Bilbo miraba esto con pena.

NO FALTA MUCHO PARA QUE LOS TRASGOS GANEN LA PUERTA Y NOS MATEN O NOS OBLIGUEN A BAJAR Y NOS CAPTUREN. ES PARA ECHARSE A LLORAR, DESPUÉS DE TODO LO QUE HEMOS PASADO.

CASI PREFERIRÍA QUE SMAUG SE HUBIERA QUEDADO CON ESE MALDITO TESORO A QUE SE LO LLEVEN ESAS VILES CRIATURAS, Y EL POBRE BOMBUR, Y BALKIN Y FILI Y KILI Y LOS DEMAS TENGAN MAL FIN. ¡AY, MÍSERO DE MÍ! OJALA ESTUVIERA AL MARGEN DE ESTO.

Las nubes se esparcieron por el viento, y un rojo crepúsculo rasgó el oeste. Al notar la repentina iluminación de las tinieblas, Bilbo miró a su alrededor y lanzó un gran grito. Había visto algo que hizo saltar su corazón, unas sombras oscuras, pequeñas pero majestuosas recortándose contra el distante resplandor.

¡LAS ÁGUILAS! ¡LAS ÁGUILAS! ¡VIENEN LAS ÁGUILAS!

Las águilas venían con el viento, hilera tras hilera formando un ejército tal que parecían haberse reunido todos los águileros del norte. Si los elfos no vieron a Bilbo, sí le oyeron. Pronto se unieron a su grito y éste retumbó en todo el valle.

¡LAS ÁGUILAS! ¡LAS ÁGUILAS!

¡VIENEN LAS ÁGUILAS!

En ese momento una piedra arrojada desde arriba golpeó con fuerza el casco de Bilbo...

... y cayó aparatosamente y no supo nada más.

Cuando Bilbo volvió en sí, lo hizo literalmente por sí solo. Estaba temblando y tan frío como una piedra, pero su cabeza ardía con fuego.

¿ME PREGUNTO QUÉ HA PASADO?

¡VICTORIA DESPUÉS DE TODO, SUPONGO!

¡EH TÚ! ¡EH, EL DE ALLÍ! ¿QUÉ PASA?

¿QUÉ VOZ ES LA QUE HABLA ENTRE LAS PIEDRAS?

¡EL CIELO ME VALGA! ¡ESTA INVISIBILIDAD TAMBIÉN TIENE SUS INCONVENIENTES! ¡SUPONGO, QUE DE NO SER ASÍ HABRÍA PASADO UNA NOCHE CÓMODA Y CALIENTE EN LA CAMA!

¡SOY YO, BILBO COMPAÑERO DE THORIN!

¡ES UNA SUERTE QUE TE HAYA ENCONTRADO! SE TE NECESITA Y LLEVAMOS MUCHO BUSCÁNDOTE. ME HAN ENVIADO AQUÍ A MIRAR POR ÚLTIMA VEZ.

¿ESTÁS HERIDO?

UN FEO GOLPE EN LA CABEZA, CREO, PERO TENGO UN CASCO Y UNA CABEZA DURA. AUN ASÍ ESTOY MAL Y MIS PIERNAS PARECEN DE PAJA.

TE LLEVARÉ AL CAMPAMENTO DEL VALLE.

¡BOLSÓN! ¡NUNCA LO HUBIERA DICHO, VIVO DESPUÉS DE TODO! ¡ME ALEGRO! EMPEZABA A PREGUNTARME SI NI TU SUERTE TE SACARÍA DEL PASO, HA SIDO ALGO TERRIBLE Y CASI DESASTROSO.

PERO LAS DEMÁS NUEVAS PUEDEN ESPERAR. ¡ENTRA, TE ESPERAN!

¡SALUD, THORIN! TE LO HE TRAÍDO.

ADIÓS,
BUEN LADRÓN.
PARTO A LOS SALO-
NES DE ESPERA A
SENTARME JUNTO
A MIS PADRES HASTA
QUE EL MUNDO SE
RENUEVE.

COMO AHORA
DEJO TODO EL ORO
Y LA PLATA Y ES DE
POCO VALOR ALLÍ DONDE
VOY, DESEO PARTIR EN
AMISTAD CONTIGO, Y
QUISIERA RETIRAR
MIS PALABRAS Y
ACTOS EN LA
PUERTA.

¡ADIÓS, REY
BAJO LA MONTAÑA!
ESTA ES UNA AVENTURA
AMARGA SI DEBE ACABAR
ASÍ, Y NI UNA MONTAÑA DE
ORO PODRÁ ENMENDAR ESO.
PERO ME ALEGRO DE HABER
COMPARTIDO TUS PELIGROS,
QUE ES MÁS DE LO QUE
MERECE CUALQUIER
BOLSÓN.

¡NO! HAY
MÁS DE BUENO EN TI
DE LO QUE CREES, HIJO
DEL BONDADOSO OESTE.
VALOR Y SABIDURÍA
MEZCLADOS CON MESURA.
SI MÁS DE NOSOTROS
VALORÁRAMOS LA COMIDA Y LA
ALEGRÍA Y LAS CANCIONES
POR ENCIMA DEL ORO, ÉSTE
SERÍA UN MUNDO MÁS
FELIZ.

PERO
TRISTE O FELIZ
DEBO DEJARLO
YA. ¡ADIÓS!

Entonces Bilbo se volvió, y se fue por su
cuenta y se sentó solo, y, lo creáis o
no, lloró hasta que se le enrojecieron
los ojos y se le enronqueció la voz. Era
un alma bondadosa y pasó mucho antes
de que tuviera ganas de volver a bromear.

ES UNA BENDICIÓN QUE
YO DESPERTARA
CUANDO LO HICE. OJALÁ
THORIN SIGUIERA VIVO,
PERO ME ALEGRO QUE
NOS SEPARÁSEMOS
COMO AMIGOS.

ERES UN
ESTÚPIDO, BILBO
BOLSÓN, Y LO LIASTE
TODO CON EL ASUNTO DE
LA PIEDRA; Y HUBO
UNA BATALLA PESE A
TUS INTENTOS EN
CONSEGUIR PAZ
AUNQUE NO PUEDE
CULPÁRSEME
DE ESO.

Bilbo supo luego lo que sucedió después de quedar inconsciente.

Hacía mucho que las águilas sospechaban los planes de los trasgos. Así que ellas también se reunieron en gran número y oliendo al fin la batalla, acudieron deprisa bajando de la tormenta justo a tiempo. Fueron ellas las que desalojaron a los trasgos de las laderas de las montañas.

Pero hasta con las águilas seguían superados en número. En esa última hora apareció el propio Beorn, nadie sabía ni cómo ni de dónde. Acudió solo y con forma de oso, y parecía haber crecido en talla por la cólera.

Cayó sobre su retaguardia, e irrumpió como un trueno en el círculo. Entonces Beorn se detuvo y alzó a Thorin que había caído atravesado por lanzas y le sacó de la refriega.

Volvió rápidamente y con redoblada ira, de modo que nada podía contenerlo y ningún arma parecía afectarlo. Dispersó a la guardia y arrojó al suelo al propio Bolgo y le aplastó.

El desaliento cundió entonces entre los trasgos y huyeron en todas las direcciones. Pero el cansancio abandonó a sus enemigos con esta nueva esperanza y les persiguieron de cerca e impidieron que la mayoría de ellos escapara como pudiese.

Las canciones dicen que aquel día perecieron las tres cuartas partes de los trasgos del norte, y las montañas tuvieron paz por muchos años.

¿DÓNDE ESTÁN LAS ÁGUILAS?

ALGUNAS ESTÁN DE CAZA, PERO LA MAYORÍA HAN VUELTO A LOS AGUILEROS.

NO QUISIERON QUEDARSE Y PARTIERON CON LA PRIMERA LUZ DE LA MAÑANA. DAIN HA CORONADO A SU JEFE CON ORO Y LE HA JURADO AMISTAD ETERNA.

SUPONGO QUE VOLVEREMOS PRONTO A CASA.

TAN PRONTO COMO QUIERAS.

LO SIENTO. QUIERO DECIR, QUE ME HUBIERA GUSTADO VOLVERLAS A VER. QUIZÁ LAS VEAMOS EN EL VIAJE DE REGRESO.

Todavía pasaron varios días antes de que Bilbo se pusiera en camino. Enterraron a Thorin bajo la Montaña, y Bardo le puso sobre el pecho la Piedra del Arca.

Y el rey elfo puso sobre su tumba a Orcrist, la espada élfica que quitó a Thorin durante su cautiverio. Las canciones dicen que brilla en la oscuridad cuando se acercan enemigos y que la fortaleza de los enanos no puede tomarse por sorpresa.

¡Que yazca aquí hasta que se desmorone la Montaña! ¡Que traiga buena fortuna a todos los suyos que en adelante moren aquí!

Y Dain hijo de Nain se instaló allí y se convirtió en Rey bajo la Montaña.

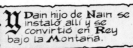

De los doce compañeros de Thorin quedaron diez. Fili y Kili cayeron escudándolo con su cuerpo, pues era el hermano mayor de su madre.

Honraremos el acuerdo del muerto ya que ahora guarda la Piedra del Arca.

Este tesoro es tan tuyo como mío. Aunque afirmes haber renunciado a tu parte, quisiera que las palabras de Thorin, de las que se arrepintió, no hubieran sido ciertas y que te daríamos poco. Te recompensaré más espléndidamente que a los demás.

Eres muy bondadoso, pero es un alivio para mí. No sé cómo habría podido llevarme este tesoro a casa sin peleas y muertes todo el camino. Estoy seguro que está mejor en tus manos.

Al final sólo se llevó dos pequeños cofres, uno lleno de plata, y el de oro." Esto es lo más que podría manejar," dijo.

¡Adiós, Balin! ¡Adiós, Dwalin! ¡Adiós a Dori, Nori, Ori, Oin, Gloin, Bifur, Bofur y Bombur! ¡Que vuestras barbas sean siempre espesas!

Por supuesto no hubo discusión alguna sobre la división del tesoro en las partes pensadas. Con todo, se entregó a Bardo una catorceava parte del oro y la plata, labrada y sin labrar. De este tesoro, Bardo entregó mucho oro al gobernador de la Ciudad del Lago. Al rey elfo le dio las esmeraldas de Girión que Dain le había devuelto.

¡Adiós, Thorin Escudo de Roble! ¡Y a vosotros, Fili y Kili! ¡Que nunca se olvide vuestro recuerdo!

¡Adiós y buena suerte, allá donde vayáis! ¡Si volvéis a visitarnos cuando nuestros salones vuelvan a ser espléndidos, el banquete será fastuoso.

¡Si pasáis por mi camino, no aviséis antes! ¡El té es a las cuatro! ¡Cualquiera de vosotros será bienvenido en todo momento!

La hueste élfica se puso en camino, y aunque triste—
mente mermada, muchos iban contentos, pues el
dragón había muerto y los trasgos derrotados y
sus corazones miraban más allá del invierno a
una primavera de alegría.

Así fueron hasta llegar cerca de los lindes del Bosque
Negro. A continuación se detuvieron pues Bilbo y el
Mago querían rodear el bosque y pasarlo por su extremo norte. Era un camino largo y poco alegre, pero,
ahora que habían acabado con los trasgos, les parecía
más seguro que los temibles senderos bajo los árboles. Y además Beorn también tomaría ese camino.

¡ADIÓS, OH REY ELFO! ¡QUE EL
BOSQUE VERDE SEA FELIZ
MIENTRAS EL MUNDO
SEA JOVEN!

¡Y
FELIZ TU
PUEBLO!

¡ADIÓS, OH GANDALF!
¡QUE SIEMPRE APAREZCAS
DONDE MÁS TE NECESITEN
Y MENOS TE ESPEREN!
¡CUANTO MÁS
APAREZCAS EN MIS
SALONES MÁS
COMPLACIDO
ESTARÉ!

¡TE RUEGO
QUE ACEPTES ESTE
PRESENTE!

¿DE
QUÉ MODO
ME HE
GANADO ESTE
PRESENTE
HOBBIT?

BUENO,
ER, CREO,
NO LO SABES
ER, QUE DEBO
COMPENSAR
ALGO DE
VUESTRA, ER,
HOSPITALIDAD.
HE BEBIDO MUCHO
DE VUESTRO VINO
Y COMIDO MUCHA
DE VUESTRA
COMIDA.

¡ACEPTARÉ
TU PRESENTE, OH
BILBO EL MAGNÍFICO!
Y TE NOMBRO AMIGO
DE LOS ELFOS Y
BIENAVENTURADO,
QUE TU SOMBRA
NUNCA DISMINUYA
(O ROBAR SERÍA
DEMASIADO FÁCIL).
¡ADIÓS!

Bilbo pasó muchos infortunios y aventuras antes de
volver. El Yermo seguía siendo el Yermo, y en aquellos
días había muchas otras cosas además de trasgos.

En todo caso, Gandalf y Bilbo
llegaron a medio invierno hasta
la puerta de la casa de Beorn, y
allí se quedaron un tiempo.

Beorn se
convirtió en
un gran jefe
después de esto,
y se dice que
durante muchas
generaciones,
los hombres de
su linaje tuvie-
ron el poder de
asumir forma de
Oso.

Fue primavera antes de
que Bilbo y Gandalf se
despidieran por fin de
Beorn y volvieran al
camino y llegaran a ese
paso donde antes fueron
capturados por trasgos.
La Montaña Solitaria
estaba tan lejos que
apenas se la veía.
La nieve sin fundir de
su pico más alto
seguía brillando con
palidez.

¡ASÍ
LLEGA LA
NIEVE TRAS EL
FUEGO, Y HASTA
LOS DRAGONES
TIENEN SU
FIN!

¡AHORA
SÓLO DESEO
SENTARME YA
EN MI PROPIO
SILLÓN!

Fue en primero de Mayo cuando los dos volvieron por fin al borde del valle de Rivendell, donde se lazaba la última (o la Primera) Morada.

Fue Gandalf quien habló, pues Bilbo estaba somnoliento. Fue así como supo dónde había estado Gandalf.

Les dieron una calurosa bienvenida, y muchos oídos se aprestaron aquella tarde a oír el relato de su aventura.

Parece ser que Gandalf había estado en un congreso de magos blancos, señores de sabiduría y magia buena, y que por fin habían expulsado al Nigromante de sus dominios en el Bosque Negro.

¡EN NO MUCHO TIEMPO EL BOSQUE DARÁ FRUTOS MUCHO MEJORES Y EL NORTE SE VERÁ LIBRE DE SU HORROR DURANTE MUCHOS AÑOS! ¡AUN ASÍ DESEARÍA QUE YA NO ESTUVIESE EN ESTE MUNDO!

ESO ESTARÍA BIEN, PERO ME TEMO QUE NO PASARÁ EN ESTE SIGLO, NI EN MUCHOS VENIDEROS.

El cansancio abandonó pronto a Bilbo en esa casa. Pero ni siquiera ese lugar podía retrasarle ahora ya que pensaba continuamente en su hogar. Al transcurrir una semana, se despidió de Elrond, dándole unos regalos suficientemente pequeños como para que no los rechazara, y partió con Gandalf.

¡EL ALEGRE MES DE MAYO! PERO VOLVEMOS LA ESPALDA A MUCHAS LEYENDAS Y VOLVEMOS A CASA. SUPONGO QUE ES EL PRIMER SABOR DE ESO.

AÚN QUEDA MUCHO CAMINO.

PERO ES EL ÚLTIMO CAMINO.

En cada punto del camino, Bilbo recordaba lo acaecido y dicho un año antes —que le parecían diez— así que, por supuesto, pronto descubrió el lugar donde se desviaron para tener su fea aventura con Tom, Berto y Guille.

No muy lejos del camino encontraron el oro enterrado por los trolls aún oculto y sin tocar.

La marcha fue más lenta a partir de entonces. Pero el país era verde y había mucha hierba por la que el Hobbit paseó contento, pues con Junio venía el verano y el tiempo volvía a ser hermoso y cálido.

YO YA TENGO BASTANTE PARA TODA MI VIDA. SERÁ MEJOR QUE LO COJAS TÚ, GANDALF. SEGURO QUE LE ENCUENTRAS UN USO.

¡DESDE LUEGO QUE SÍ! PERO DIVIDÁMOSLO EN PARTES IGUALES. QUIZÁ TE TOPES CON NECESIDADES INESPERADAS.

Y como todas las cosas tienen su fin, incluso esta historia, llegó un día en que Bilbo vio en la distancia su propia colina.

LOS CAMINOS SIGUEN Y SIGUEN BAJO NUBES Y ESTRELLAS, PERO LOS PIES QUE ECHARON A ANDAR POR FIN VUELVEN A SU LEJANO HOGAR.

OJOS QUE HAN VISTO BOSQUES Y FUEGOS, Y HORRORES EN SALONES DE PIEDRA, MIRAN POR FIN LAS VERDES PRADERAS Y ÁRBOLES Y COLINAS.

¡VÁLGAME! ¿QUÉ SUCEDE?

¡MI BUEN BILBO! ¡TE PASA ALGO! YA NO ERES EL MISMO HOBBIT DE ANTES.

¡Bilbo había vuelto en medio de una subasta! Había un cartel en negro y rojo, clavado a la puerta, anunciando que el veintidós de Junio, los señores Gorgo, Gorgo y Borgo subastarían las propiedades del finado Bilbo Bolsón, de Bolsón Cerrado, Hobbittopolis. La venta empezaría a las diez en punto.

Ya era casi la hora de almorzar y se habían vendido la mayoría de las cosas por precios que iban desde casi gratis a viejas canciones (algo corriente en una subasta).

Y, además, los primos de Bilbo, los Sacovilla—Bolsón estaban muy atareados midiendo los cuartos de Bilbo para ver si cabían sus propios muebles. Resumiendo, Bilbo estaba "presuntamente muerto", y no todo el mundo lamentó que la presunción fuera falsa.

El regreso del Sr. Bilbo Bolsón creó cierto alboroto tanto bajo la Colina como sobre la Colina, y al otro lado del Río, y no fue maravilla de nueve días, sino que los problemas legales se prolongaron durante años.

Al final para ahorrar tiempo, Bilbo recompró bastantes de sus muebles. Muchas de sus cucharas de plata desaparecieron y nunca se supo de ellas.

Y descubrió que había perdido algo más que cucharas. Había perdido su reputación. Es cierto que desde entonces fue un amigo de los elfos y que tenía el respeto de enanos, magos y gente semejante que pasase por allí, pero ya no era respetable del todo.

De hecho todos los hobbits de la comunidad le consideraban "raro" excepto sus sobrinos y nietos de la rama Tuk, pero ni siquiera éstos eran animados por sus mayores a visitarle.

Lamento decir que no le importó. Estaba bastante feliz. Colgó su espada sobre la chimenea y colocó su cota de malla sobre una peana en el vestíbulo (hasta que la cedió a un museo). Su plata y su oro lo gastó con largueza en regalos. Mantuvo en secreto su anillo mágico, pues lo usaba principalmente cuando recibía visitas desagradables.

Se dedicó a escribir poesía y visitar a los elfos, y aunque pocos creían las historias que contaba, fue muy feliz hasta el fin de sus días, y éstos fueron extraordinariamente largos.

Una tarde de otoño varios años después Bilbo estaba sentado en su estudio escribiendo sus memorias —que pensaba titular "De una ida y una vuelta. Las vacaciones de un hobbit"— cuando llamaron a la puerta.

Era Gandalf y un enano, y el enano era Balin.

Pronto empezaron a hablar de los viejos tiempos, claro, y Bilbo preguntó cómo iban las cosas en la Montaña. Parecía que iban bien.

Bardo había reconstruido la ciudad de Valle y todo volvía a ser próspero y rico, y la desolación se había llenado de pájaros y flores en primavera y frutas y banquetes en otoño.

¡PASAD! ¡PASAD!

Y la Ciudad del Lago volvió a fundarse y era más próspera que nunca, y por el Río Rápido subía y bajaba mucha riqueza, y en aquellos lugares había amistad entre elfos, enanos y hombres.

EL NUEVO GOBERNADOR ES MÁS SABIO Y MUY POPULAR, PORQUE, CLARO, SE LE ACHACA LA PRESENTE PROSPERIDAD. ESTÁN COMPONIENDO CANCIONES QUE DICEN QUE EN SUS DÍAS LOS RÍOS CORREN CON ORO.

El viejo gobernador había acabado mal, Bardo le había dado mucho oro para auxiliar a la gente del lago, pero siendo propenso a ese tipo de males, cogió el mal del dragón, y tomó la mayoría del oro y huyó con él, y murió de hambre en el Yermo, abandonado por sus compañeros.

ENTONCES LAS PROFECÍAS DE LAS VIEJAS CANCIONES SE HAN CUMPLIDO DE ALGÚN MODO.

¡POR SUPUESTO! ¿POR QUÉ NO IBAN A CUMPLIRSE?

¿NO DEJARÁS DE CREER EN LAS PROFECÍAS PORQUE HAYAS AYUDADO A QUE SE CUMPLAN? ¿SUPONGO QUE NO CREERÁS QUE TODAS TUS AVENTURAS Y TUS ESCAPADAS FUERON OBRA DE LA SUERTE Y PARA TU ÚNICO BENE— FICIO?

¡ERES UNA GRAN PERSONA, SEÑOR BOLSÓN, Y TE APRECIO MUCHO, PERO DESPUÉS DE TODO, SÓLO ERES UN INDIVIDUO MÁS DEL ANCHO MUNDO!

GRACIAS AL CIELO

FIN

DAVID R. LÓPEZ